L'ENFANT AUX YEUX BLEUS

DU MÊME AUTEUR
CHEZ LE MÊME ÉDITEUR

Danielle Steel

L'ENFANT
AUX YEUX BLEUS

Roman

Traduit de l'anglais (États-Unis)
par Nelly Ganancia

PRESSES
DE LA CITÉ

Titre original : *Blue*
Published in the United States in 2015 by Delacorte Press, an imprint of Random House, a division of Random House LLC, a Penguin Random House Company, New York.

© Danielle Steel, 2016
© Presses de la Cité, 2017 pour la traduction française
ISBN 978-2-258-13498-0
Dépôt légal : octobre 2017

Presses
de   un département **place des éditeurs**
la Cité

place
des
éditeurs

À mes enfants bien-aimés,
Beatie, Trevor, Todd, Nick,
Samantha, Victoria, Vanessa,
Maxx et Zara.

La vie est faite de ces moments uniques,
des moments de joie ou de peine,
de bonheur inespéré, de bienveillance incroyable ;
des moments inoubliables qui vous marquent
pour la vie entière, des moments que l'on chérit.

Que ces moments soient précieux,
heureux et favorables, qu'ils changent vos vies
comme autant de dons du ciel.

Que votre empreinte sur les autres soit douce,
que la leur vous soit aimante,
et sachez toujours, toujours,
que je vous aime de tout mon cœur,
infiniment.
Avec tout mon amour,

Maman/d.s.

1

Le voyage jusqu'à l'aéroport de Luanda, capitale de l'Angola, au sud-ouest de l'Afrique, avait pris sept heures. D'abord en jeep, depuis le petit village proche de Luena jusqu'à Malanje, puis en train. Une route longue et périlleuse, car la région était truffée de mines antipersonnel. Après quarante ans de combats, le pays était encore ravagé par la guerre civile et avait cruellement besoin d'aide extérieure. C'est pour cette raison que SOS Human Rights y avait envoyé Ginny Carter. SOS/HR, fondation privée basée à New York, mandatait des spécialistes des droits de l'homme partout dans le monde. Les missions de Ginny duraient généralement de deux à trois mois, parfois davantage. Ginny faisait partie d'une équipe de référents chargés de soutenir ceux dont les droits étaient bafoués, le plus souvent des femmes et des enfants. Mais elle devait aussi parer aux besoins matériels les plus pressants, tels que le manque d'eau, de nourriture, de médicaments ou d'hébergement d'urgence. Dans le cadre de son action juridique, elle allait voir des femmes en prison et intercédait auprès des procureurs pour tenter de leur garantir un procès équitable. Même si SOS/HR était une organisation responsable, qui prenait soin de ses employés, il s'agissait souvent d'un travail dangereux. Avant sa première mission, Ginny avait dû suivre une formation très poussée : on lui avait montré comment creuser un fossé, purifier de l'eau et prodiguer les premiers secours. Pourtant, rien ne l'avait préparée à ce qu'elle avait pu voir sur le terrain la première fois. Depuis, elle avait beaucoup appris sur la cruauté de l'homme envers l'homme et sur les malheurs qui frappaient les plus vulnérables dans les pays défavorisés ou en voie de développement.

Au moment de son passage à la douane à l'aéroport JFK, à New York, Ginny cumulait vingt-sept heures de voyage : de Luanda, elle avait pris l'avion pour Londres, où elle avait passé quatre heures en transit à Heathrow avant d'embarquer pour les États-Unis. Elle portait un jean, des chaussures de marche et une grosse parka des surplus de l'armée. Négligemment, elle avait serré ses cheveux blonds dans un élastique à son réveil, juste avant d'atterrir. On était le 22 décembre, elle était partie fin août : son séjour en Afrique avait duré quatre mois, plus longtemps que d'habitude, car la relève avait tardé à arriver. Ginny aurait préféré être déjà repartie pour sa mission suivante, mais elle n'avait pas pu s'arranger autrement et il lui fallait maintenant affronter Noël, seule à New York. Par habitude, elle ralluma son téléphone portable, même si elle ne souhaitait appeler personne en particulier.

Elle aurait pu se rendre à Los Angeles pour passer les fêtes avec son père et sa sœur, mais cette perspective lui semblait encore pire. Voilà trois ans qu'elle avait quitté L.A., sa ville natale, et elle n'éprouvait pas le moindre désir d'y retourner. Depuis, elle vivait une vie de nomade, selon ses propres termes, au gré des missions confiées par SOS Human Rights. Elle adorait son nouveau métier, le fait qu'il l'absorbait entièrement et l'empêchait de penser à sa vie passée. Jamais elle n'aurait cru vivre et travailler un jour dans tous ces pays lointains, qui lui étaient maintenant familiers. Elle avait aidé des sages-femmes à mettre des bébés au monde, s'en était même chargée elle-même quand personne d'autre n'était disponible. Des enfants étaient morts dans ses bras, elle avait consolé leurs mères de son mieux et s'était occupée d'orphelins dans des camps de déplacés. Elle avait séjourné dans des zones de guerre, entre deux insurrections locales et une révolution, elle avait vu la détresse et la pauvreté, elle avait vu des mondes dévastés. De quoi relativiser les aléas de l'existence. La fondation appréciait sa promptitude à s'engager dans les pires contrées de leur domaine d'intervention, quels que soient le danger et le degré de désolation qui y régnaient. Plus les conditions étaient rudes et le travail difficile, plus Ginny s'y plaisait.

Elle ne se souciait guère de sa propre personne. Ainsi, il lui était arrivé de disparaître pendant trois semaines en Afghanistan. SOS/HR l'avait tenue

11

pour morte. En fait, elle avait été recueillie par une famille de la région qui avait pris soin d'elle alors qu'elle souffrait d'une forte fièvre, puis elle avait regagné le camp, malade et affaiblie. En toute circonstance, elle répondait « présente » et serrait les dents, que ce soit en Afghanistan, au Pakistan ou en Afrique. À son retour, elle rédigeait des rapports précis et éclairants : elle avait eu l'occasion par deux fois de présenter son compte rendu dans le bureau new-yorkais du Haut Commissariat aux droits de l'homme de l'ONU, et s'était même rendue au siège du HCDH, à Genève. Mieux que personne, elle savait décrire de façon poignante et pathétique la situation désespérée de ceux à qui elle devait venir en aide.

C'est à regret qu'elle avait quitté les femmes et les enfants dont elle s'occupait dans le camp de Luena. Son équipe et elle avaient tenté de contourner les chicanes pour aider ces gens à rentrer dans leur région d'origine. Ginny aurait voulu rester six mois, voire un an de plus. Les missions paraissaient toujours trop courtes. Les travailleurs humanitaires avaient tout juste le temps de se familiariser avec la situation du pays avant de se faire remplacer. Or leur tâche consistait autant à décrire en détail les conditions de vie des réfugiés qu'à les améliorer. Souvent, ils avaient l'impression de vider l'océan à l'aide d'un dé à coudre. Tant de pauvres gens étaient dans le besoin, tant de femmes et d'enfants vivaient dans la plus grande précarité, aux quatre coins du monde.

Cependant, Ginny trouvait de la joie dans ce qu'elle faisait. Elle n'aspirait qu'à repartir ; elle aurait préféré s'éreinter au travail dans un lieu où Noël n'existait pas, plutôt que de rester là, à New York. Pour comble de malchance, elle arrivait trois jours avant la fête. Si elle l'avait pu, elle se serait couchée une fois rentrée à son appartement, et ne se serait réveillée qu'après cette période fatidique. Elle n'avait rien à déclarer à la douane, hormis quelques sculptures en bois confectionnées à son intention par les enfants du camp. Ses seuls trésors étaient désormais les souvenirs des personnes croisées en chemin, qu'elle pouvait emporter partout avec elle. Quant aux biens matériels, ils n'avaient plus de valeur à ses yeux ; tout ce dont elle avait besoin tenait dans son sac à dos et sa petite valise usée. Son plus grand luxe, le summum de son plaisir, c'était une douche chaude quand l'occasion se présentait. Le plus souvent, elle se lavait à l'eau froide avec le savon qu'elle apportait. Si elle parvenait tant bien que mal à garder propres ses jeans, sweats et tee-shirts, ils n'étaient jamais repassés. De toute façon, Ginny ne prenait pas la peine de se regarder dans un miroir. Elle s'estimait heureuse d'avoir quelque chose à se mettre sur le dos ; beaucoup, parmi les gens dont elle s'occupait, ne pouvaient pas en dire autant et il lui arrivait de donner ses vêtements à ceux qui en avaient le plus besoin. À l'exception de la fois où elle avait fait une brillante allocution devant le Sénat américain, elle n'avait plus porté de robe, de talons hauts ni de maquillage depuis trois ans. Même pour ses interventions à l'ONU ou au HCDH, elle se contentait d'un vieux pantalon noir, d'un pull et de chaussures plates. Seul comptait ce qu'elle avait à dire, le message qu'elle voulait faire passer, le témoignage des atrocités qu'elle avait vues jour après jour dans le cadre de son travail. Elle était aux premières loges des crimes et injustices dont les femmes et les enfants du monde entier étaient les victimes ; elle se devait de prendre la parole pour ces sans-voix. Ses mots, percutants, tiraient souvent des larmes à son auditoire.

En sortant du terminal, Ginny inspira une longue bouffée d'air nocturne et glacé. Son regard bleu, profond comme un lac, presque bleu marine, s'attarda quelques secondes sur les vacanciers qui se précipitaient vers les bus et les taxis ou bien embrassaient leur famille. Elle hésita un instant entre la navette et le taxi pour rejoindre le centre-ville. La fatigue s'était immiscée jusque dans ses os, elle avait mal partout après ce long voyage et plusieurs mois passés à dormir sur une couchette étriquée dans le bus de l'ONG. Elle décida d'opter pour la solution la plus confortable, et ce même si elle avait presque honte de s'autoriser une dépense superflue après tout ce qu'elle avait vu au cours de sa mission.

Elle héla un taxi, ouvrit la portière, posa sa valise et son sac à dos sur la banquette et monta à bord. Le jeune chauffeur pakistanais lui demanda où elle allait. Son nom était inscrit sur la licence affichée sur la vitre de séparation. Elle lui donna son adresse, et, l'instant d'après, ils se lançaient dans la circulation encombrée de l'aéroport, avant de gagner l'autoroute. Comme il était étrange de retrouver la civilisation après avoir vécu dans une région totalement désolée pendant quatre mois... Elle éprouvait cette sensation à chacun de ses retours. Et à peine avait-elle repris ses marques qu'elle repartait déjà. Ginny demandait toujours à SOS/HR de lui confier une nouvelle mission le plus rapidement possible. Sa volonté de fer et ses trois ans d'expérience faisaient d'elle l'un de leurs meilleurs experts dans la défense des droits de l'homme.

— De quel coin du Pakistan venez-vous ? demanda-t-elle au chauffeur, alors qu'ils s'inséraient dans le flot des véhicules en direction de la ville.

Il lui sourit dans le rétroviseur :

— Comment savez-vous que je viens du Pakistan ?

— J'y suis allée l'année dernière, répondit-elle en souriant à son tour.

Elle devina d'ailleurs avec succès sa région d'origine, ce qui ne laissa pas d'étonner le jeune homme. Tant d'Américains ignoraient tout de son pays...

— J'ai passé trois mois au Baloutchistan, expliqua-t-elle.

— Que faisiez-vous là-bas ?

Les fêtes de Noël étaient toutes proches, et le trajet s'annonçait long. Ginny était heureuse de parler au chauffeur. Cela lui permettait de rester éveillée, sans compter que cet homme lui paraissait moins étranger que la plupart des gens qu'elle verrait à New York.

— Je travaillais, répondit-elle en regardant par la fenêtre ce paysage qui n'avait plus rien de familier.

Depuis son départ de L.A., elle n'avait plus de chez-elle. Elle le sentait : la cité des anges resterait son seul vrai foyer, et c'était aussi bien ainsi. Elle n'avait pas vraiment besoin de foyer. Désormais, n'importe quelle tente faisait l'affaire.

— Vous êtes médecin ? s'enquit le chauffeur, curieux.

— Non, je travaille pour une organisation de défense des droits de l'homme, répondit-elle sans autre précision.

Dans ce taxi confortable et bien chauffé, le sommeil l'assaillait par vagues, et elle devait lutter pour ne pas s'endormir. Il fallait qu'elle tienne le coup jusqu'à son appartement, où elle prendrait une douche avant de se glisser sous la couette. Le frigo serait vide, mais elle s'en fichait ; elle avait mangé dans l'avion et pourrait faire des courses le lendemain.

Alors que le skyline de New York apparaissait, ils poursuivirent leur route en silence. Ginny ne pouvait nier la beauté de ce spectacle, mais il ressemblait pour elle à un décor de cinéma, pas à un lieu habité par des gens de la vie réelle. Les gens qu'elle côtoyait vivaient dans de vieux baraquements militaires, des tentes et des postes d'aide aux réfugiés, pas dans des gratte-ciel illuminés. Au fil des ans, elle se sentait de plus en plus éloignée de ce mode de vie. Mais puisque SOS/HR avait son siège à New York, il était plus simple pour elle d'y garder un pied-à-terre. Ce n'était qu'un abri dans lequel elle se reposait tous les quelques mois, tel un bernard-l'ermite dans la première coquille venue.

16

Elle n'y était pas attachée le moins du monde. Ses rares biens personnels étaient encore dans les cartons qu'elle n'avait jamais pris la peine d'ouvrir. Quand Ginny avait dû vendre sa maison et quitter L.A., sa sœur Rebecca les avait emballés pour elle et les lui avait expédiés à New York. Ginny ne savait même pas exactement ce qu'ils contenaient, mais cela lui était bien égal.

Le taxi la déposa en bas de son immeuble à peine une heure plus tard et elle gratifia le chauffeur d'un généreux pourboire. De nouveau, il lui sourit et il la remercia alors qu'elle cherchait ses clés dans son sac à dos. Elle sortit dans l'air glacial. Le temps était à la neige. Ginny se débattit un moment avec la serrure de la porte d'entrée, ses bagages à ses pieds. La façade avait un petit air délabré, et la bise soufflait depuis l'East River, qui coulait à quelques centaines de mètres de là. C'est la proximité du fleuve qui l'avait décidée à louer ce trois-pièces de l'Upper East Side. Quand le temps était plus clément, elle aimait bien se promener sur la berge et regarder passer les bateaux. Après avoir possédé une maison, la vie en appartement lui semblait moins oppressante, mais aussi plus impersonnelle, et cela lui convenait très bien.

Ginny pénétra dans le petit hall, appela l'ascenseur et monta au sixième étage. La bâtisse avait quelque chose de désolé. Pourtant, plusieurs de ses voisins avaient accroché des couronnes de Noël à leur porte. Pour sa part, elle ne s'embarrassait plus de ces traditions et, de toute façon, c'était seulement la deuxième fois qu'elle se trouvait à

New York pour les fêtes depuis son emménagement. Il y avait tant de choses plus importantes dans le monde que la décoration d'un sapin... Il lui tardait de se rendre au siège de SOS/HR, qui rouvrirait ses portes dans quelques jours. D'ici là, elle lirait un peu, rattraperait son retard de sommeil et s'attèlerait à la rédaction de son rapport de mission. De quoi l'occuper toute la semaine : elle n'aurait qu'à oublier que c'était Noël.

En entrant, elle alluma la lumière et constata que rien n'avait changé. Le vieux canapé qu'elle avait acquis lors d'un vide-grenier à Brooklyn paraissait toujours aussi fatigué. Son fauteuil de relaxation, également acheté d'occasion, était le siège le plus confortable qu'elle eût jamais possédé. Il lui arrivait souvent de s'endormir dedans en lisant. Un autre gros fauteuil faisait face au canapé, au cas où elle aurait eu de la visite, ce qui n'arrivait jamais. Sa table basse était constituée d'une vieille malle en métal couverte d'étiquettes de voyage, dégotée lors du même vide-grenier que le canapé. Une petite table à manger était entourée de quatre chaises dépareillées, et une plante morte trônait sur le rebord de la fenêtre. En août, avant de partir en Angola, elle avait prévu de la jeter, mais elle avait oublié. Depuis, la plante desséchée faisait partie du décor. La femme de ménage, qui venait une fois par mois quand Ginny était en voyage, n'avait pas osé s'en débarrasser. Quelques vieilles lampes étaient disposées çà et là. Ginny appréciait la lumière chaude qu'elles diffusaient dans la pièce. Elle avait aussi un téléviseur, dont elle ne se servait presque jamais. Elle préférait lire les nouvelles sur Internet. Quant à sa chambre à coucher, elle n'était meublée que d'un lit, d'une commode (également d'occasion) et d'une chaise. Rien sur les murs.

La jeune femme abandonna sa valise et son sac à dos sur le sol de la chambre, revint au salon et s'assit sur le canapé, accueillant malgré son air vieillot. La tête renversée sur le dossier, elle songea aux kilomètres parcourus en seulement vingt-huit heures. Elle avait encore l'impression de revenir d'une autre planète quand son téléphone portable se mit à sonner. Qui pouvait-ce bien être ? Le bureau de SOS/HR était fermé, il était vingt-deux heures... Elle repêcha l'appareil au fond de sa poche de parka et décrocha.

— Tu es rentrée ! À moins que tu ne sois encore en route ? s'exclama une voix joyeuse.

C'était sa sœur, Rebecca, qui appelait depuis L.A.

— Je viens de franchir le seuil de l'appart, répondit Ginny en souriant.

Elles communiquaient régulièrement par SMS, mais ne s'étaient pas parlé depuis un mois. Ginny ne se souvenait même plus de lui avoir annoncé sa date de retour.

— Tu dois être épuisée, commenta Becky, compatissante.

À quarante ans, quatre de plus que Ginny, Becky était une vraie mère poule, la grande sœur sur laquelle Ginny s'était reposée toute sa vie, bien qu'elle ne l'ait pas vue depuis trois ans. Le téléphone, les e-mails quand c'était possible, ainsi que les SMS entretenaient le lien. Becky était mariée, avait trois enfants et habitait à Pasadena. Leur père, dont la santé se dégradait lentement mais sûrement depuis que la maladie d'Alzheimer s'était déclarée, vivait sous son toit depuis deux ans. Il ne pouvait plus rester seul, mais ni Becky ni Ginny n'avaient envie de le placer dans une maison de retraite. Quoiqu'il n'eût que soixante-douze ans, la maladie lui en faisait paraître dix de plus, selon Becky. Employé de banque à la retraite, il avait perdu le goût de la vie au décès de leur mère, il y avait de cela une dizaine d'années.

— Oui, je suis fatiguée, reconnut Ginny dont les yeux se fermaient tout seuls. Et je déteste rentrer à cette période de l'année. J'espérais être de retour plus tôt, afin d'être déjà repartie, mais la relève a mis du temps à arriver. J'espère qu'ils vont me trouver une nouvelle mission rapidement. Pour l'instant, je n'ai pas de nouvelles.

Elle se consolait en se disant qu'elle ne resterait pas à New York très longtemps. Ce n'était pas son appartement qui la déprimait, mais l'idée de n'avoir rien à faire, de n'être utile à personne.

— Tu n'as qu'à te reposer, tu viens à peine de rentrer. Et pourquoi tu ne nous rendrais pas visite avant qu'ils ne t'envoient ailleurs ?

Becky avait déjà proposé à sa sœur de passer les fêtes en famille. Comme à son habitude, Ginny avait refusé.

— Ouais, peut-être…, répondit vaguement cette dernière.

Elle ôta son élastique et ses longs cheveux blonds tombèrent en cascade le long de son dos. Elle ne se doutait pas à quel point elle était jolie. Puisqu'elle ne se regardait même pas...

— Tu devrais venir tant que papa a encore un peu sa tête, remarqua Becky.

Ginny n'avait rien vu de sa lente détérioration et ne se doutait pas à quel point il avait baissé au cours des derniers mois.

— L'autre jour, il s'est perdu à deux pas de la maison. C'est un voisin qui l'a ramené. Il ne se rappelait plus où il habitait. Les enfants sont censés garder un œil sur lui, mais ils oublient. De toute façon, c'est impossible de le surveiller en permanence.

Becky avait interrompu une carrière brillante dans les relations publiques à la naissance de son deuxième enfant. Ginny se demandait si elle avait bien fait, mais Becky ne semblait avoir aucun regret. Son fils et ses deux filles, maintenant adolescents, l'occupaient plus que jamais, même si son mari l'aidait quand elle en avait besoin. Ingénieur en électronique, Alan assurait une vie stable et posée à toute la famille.

— Peut-être faudrait-il embaucher une infirmière pour prendre soin de papa et te soulager un peu ? demanda Ginny, inquiète.

— Il détesterait ça. Il veut encore se sentir indépendant. D'un autre côté, je ne le laisse plus sortir le chien : il l'a déjà perdu deux fois. Je suppose que ça va aller de mal en pis, et les médicaments ne sont plus aussi efficaces qu'au début.

Les médecins les avaient prévenus : le traitement ne pouvait que ralentir le processus pendant un temps. Ensuite, il n'y aurait plus rien à faire. Tandis que sa sœur gérait la réalité quotidienne de la maladie de leur père, Ginny vivait loin de tout ça. Elle culpabilisait et s'efforçait de compatir quand Becky téléphonait. Mais il lui était impossible d'habiter à L.A. Elle ne le supporterait pas. Elle n'y était jamais retournée, pas même pour une simple visite.

Or Becky, bien qu'elle dût tout gérer toute seule, s'était montrée incroyablement compréhensive. Tout ce qu'elle demandait à sa sœur, c'était qu'elle aille voir leur père avant qu'il ne soit trop tard. Malgré la gravité du pronostic, elle tentait de le lui faire comprendre sans l'effrayer ni lui imposer une trop forte pression.

— Je vais venir un de ces jours, promit Ginny avec sincérité. Et toi ? Comment vas-tu ?

— Ça va. Les gosses sont en pleine ébullition avant Noël. On voulait les emmener au ski, mais je n'ose pas laisser papa tout seul, alors les filles partent avec leurs amis. Et on ne peut plus détacher Charlie de sa nouvelle copine : il est ravi qu'on reste. En plus, il doit constituer ses dossiers de candidature pour la fac. Je ne vais pas le lâcher d'une semelle, je veux qu'il finisse pendant les vacances.

L'idée que son neveu se préparait à entrer à l'université fit à Ginny l'effet d'une gifle : où s'était envolé tout ce temps ?

— Je n'arrive pas à le croire, déclara-t-elle.

— Moi non plus. Margie aura seize ans en janvier et Lizzie va sur ses treize ans. Où est passée ma vie, pendant que je les conduisais à l'école tous les matins ? Alan et moi fêterons nos vingt ans de mariage en juin. C'est flippant, non ?

Ginny hocha la tête. Elle se souvenait de la cérémonie comme si c'était la veille : elle avait alors seize ans et était demoiselle d'honneur.

— Tu l'as dit... Je n'arrive pas à croire que tu as quarante ans et moi trente-six. Il n'y a pas si longtemps, tu avais des bagues sur les dents !

Elles sourirent en se remémorant le disgracieux appareil que Becky portait, adolescente. À cet instant, Alan rentra du travail et Becky déclara qu'elle devait raccrocher.

— Il faut que j'aille lui cramer un truc pour le dîner, soupira-t-elle. Certaines choses ne changent pas : je n'ai toujours aucun don pour la cuisine. Grâce à Dieu, nous allons passer le réveillon de Noël chez la mère d'Alan. Je ne veux plus affronter de dinde cette année, Thanksgiving a failli m'achever.

Le foyer de Becky était l'archétype de la famille américaine...

La jeune femme s'était toujours conformée à ce que l'on attendait d'elle – à l'inverse de Ginny. Elle avait épousé son petit ami du lycée alors qu'ils étaient encore à la fac. Dès la fin de leurs études, grâce à l'aide de leurs parents, ils avaient acheté une maison à Pasadena. Becky élevait merveilleusement bien leurs trois enfants. Elle était secrétaire de l'association de parents d'élèves, avait participé à toutes les activités des louveteaux quand son fils était petit, aidait ses filles à faire leurs devoirs et les conduisait à une multitude d'activités extrascolaires. Elle trouvait aussi le temps de tenir son intérieur de façon exemplaire. Épouse attentionnée, elle cultivait avec son mari une relation solide comme le roc. Par-dessus le marché, elle prenait désormais soin de leur père, tandis que Ginny courait par monts et par vaux pour essayer de soulager la misère du monde.

Le contraste entre les deux sœurs n'avait jamais été si marqué, ce qui ne les empêchait pas de s'aimer et de se respecter profondément. Néanmoins, Becky avait du mal à comprendre la voie qu'avait choisie sa sœur depuis quelques années. Même si elle en connaissait les causes, il lui semblait que c'était une réaction démesurée, et Alan partageait cet avis. Tous deux espéraient que Ginny finirait par reprendre une vie normale. En dépit de tout ce qui s'était passé, ils estimaient que le moment était venu – avant qu'elle ne change trop, qu'elle ne devienne trop étrange, presque marginale. Ils craignaient qu'elle n'en ait déjà pris le chemin, même si, d'un autre côté, ils admiraient son abnégation. Et puis ils étaient inquiets de la voir risquer ainsi sa vie tous les jours. Becky sentait bien que c'était pour sa sœur une façon de se punir. Ginny s'était assigné une belle et noble mission, mais il y avait des limites. Deux ans et demi au fin fond de contrées aussi dangereuses que l'Afghanistan auraient dû lui suffire. Becky et Alan ne parvenaient pas à se représenter ce qu'elle fabriquait là-bas. Et malgré sa volonté de ne pas culpabiliser sa cadette, Becky aurait eu grand besoin de son aide pour gérer la maladie de leur père. Elle était toute seule pour traverser les moments difficiles et prendre les décisions importantes.

— Je te rappelle demain, promit-elle avant de raccrocher.

Toutes deux savaient qu'une mauvaise journée s'annonçait. C'était l'anniversaire de l'instant où la vie de Ginny avait changé pour toujours, où tout ce qu'elle chérissait avait disparu. Comme chaque année, elle aurait voulu effacer cette date du calendrier, ou du moins dormir toute la journée, mais elle n'y parvenait jamais. Elle ne cessait de se rejouer le film, à l'infini. Elle imaginait tout ce qui aurait pu se passer différemment, s'accablait de reproches, se demandait si tout cela avait un sens. Au final, cela n'avançait à rien. Elle était seule, Mark et Chris étaient morts.

Ce soir-là, deux jours avant Noël, son mari et elle s'étaient rendus à une fête chez des amis. Des surprises étant prévues pour les plus jeunes, leur petit Christopher les accompagnait. Ginny n'avait jamais regardé les photos de la soirée. En revanche, Becky avait été bouleversée de découvrir les clichés de son neveu sur les genoux du père Noël. Elle les lui avait envoyés par la poste, de même que les albums de Chris quand il était bébé. Tout cela restait entassé dans les cartons que Ginny n'avait toujours pas ouverts, dans la seconde chambre, inutile, de son appartement new-yorkais. Elle ne comprenait pas pourquoi Becky lui avait fait parvenir ces souvenirs de sa vie passée. Jamais elle ne pourrait les déballer, pas plus qu'elle ne pouvait les jeter.

À l'époque, Ginny et Mark étaient des vedettes du petit écran : ils formaient le couple le plus en vue de la scène médiatique. Elle était envoyée spéciale, la reine des directs, et lui était le présentateur des informations le plus populaire de la côte Ouest. Ils étaient beaux, terriblement glamour et fous amoureux l'un de l'autre. Au moment de leur mariage, Ginny avait vingt-neuf ans et sa carrière prenait son essor, tandis que Mark était déjà une star confirmée. Chris était né l'année suivante. Ils possédaient une splendide résidence à Beverly Hills, pourvue de tout ce qu'ils désiraient. Leurs amis et leurs connaissances ne pouvaient qu'envier leur bonheur.

Ils avaient donc pris la route ce soir-là, Chris à l'arrière dans son siège-enfant, vêtu d'un costume en velours rouge avec un petit nœud papillon écossais. Il avait trois ans et trépignait d'impatience à l'idée de rencontrer le père Noël. En arrivant chez leurs amis, Mark s'était approché du bar pour déguster un verre de vin en compagnie d'autres hommes. Il avait besoin de se relaxer au terme d'une longue journée et Ginny en avait fait autant. La plupart des convives avaient un verre à la main, et il régnait une atmosphère joyeuse et festive. Personne n'était ivre et Mark paraissait dans son état normal au moment où ils avaient pris congé pour rentrer et mettre Chris au lit. Par la suite, elle se l'était répété mille fois, comme si cela pouvait effacer la réalité : Mark lui paraissait sobre... L'autopsie avait révélé que son alcoolémie dépassait la limite autorisée. Pas de beaucoup, mais juste assez pour ralentir ses réflexes. De toute évidence, il ne s'était pas contenté d'un seul verre. Pourtant, Mark avait le sens des responsabilités, et elle savait qu'il n'avait pas eu l'impression d'avoir trop bu, sans quoi il aurait appelé un taxi ou lui aurait demandé de prendre le volant.

Sur la voie rapide, une pluie battante s'était mise à tomber. Mark avait perdu le contrôle du véhicule ; ils avaient fait un tonneau de l'autre côté de la bande de séparation et étaient entrés en collision frontale avec un poids lourd. La voiture avait été broyée, Mark et Chris étaient morts sur le coup. Les secouristes avaient tiré Ginny des décombres en découpant la tôle à l'aide de mâchoires de survie. Elle était restée hospitalisée un mois, avec une vertèbre cervicale brisée et les deux bras cassés. Becky était accourue la voir immédiatement, mais elle ne lui avait appris le sort de Mark et Chris que le lendemain. Ce n'étaient pas deux, mais trois vies qui s'étaient interrompues en un clin d'œil. Plus rien ne serait comme avant pour Ginny. Elle n'était jamais retournée chez elle et avait laissé Becky se débarrasser de ses affaires, à l'exception des quelques objets qu'elle avait emballés et envoyés par la suite à New York.

Le temps que sa vertèbre se ressoude, Ginny était restée chez sa sœur. Elle avait eu beaucoup de chance : la fracture était placée suffisamment haut pour lui éviter la paralysie, mais il lui avait fallu porter une minerve pendant six mois. Elle évitait tous leurs amis et ne voulait voir personne, rongée qu'elle était par la culpabilité. Puisque Mark buvait rarement davantage, elle était partie du principe qu'il n'avait pris qu'un seul verre, comme elle. Et elle détestait conduire de nuit sur la voie rapide. Si seulement elle lui avait posé la question, elle aurait pris le volant. Et Chris et Mark seraient peut-être en vie à l'heure actuelle. Becky voyait bien que sa sœur ne se le pardonnerait jamais, quoi que l'on puisse lui dire.

Ginny avait emménagé à New York au mois d'avril, n'appelant aucun de ses amis pour leur dire au revoir. Elle avait passé un mois à chercher du travail pour un organisme de défense des droits de l'homme, avec une seule idée en tête : partir le plus loin possible de tout ce qui lui rappelait sa vie passée. Becky la soupçonnait même de vouloir se tuer en mission, du moins au début. Personne ne pouvait rien pour elle. Il n'y avait qu'à espérer que le temps apaise sa douleur et qu'elle apprenne à vivre avec ce qui lui était arrivé. Elle avait perdu ce qu'elle avait de plus cher au monde, elle n'était plus ni épouse ni mère. Elle avait interrompu la carrière de reporter de haut vol qu'elle s'était donné tant de peine à construire. Du jour au lendemain, sa vie de femme heureuse, brillante et accomplie, s'était transformée en cauchemar absolu. Même si Ginny n'en parlait jamais, Becky voyait bien à quel point elle souffrait encore, c'est pourquoi elle n'osait pas l'accabler davantage en lui demandant de s'occuper de leur père.

Pourtant, il faudrait bien qu'elle arrête un jour d'expier ses péchés en risquant sa peau dans des contrées improbables. Qu'elle cesse de fuir pour regarder la réalité en face. Cela faisait déjà trois ans qu'elles ne s'étaient pas vues... Becky était constamment dans la crainte qu'elle ne se fasse tuer en mission et éprouvait un immense soulagement quand elle rentrait à New York, même pour une courte période.

Becky raccrocha, démoralisée, et Alan se pencha pour l'embrasser. C'était une jolie femme, mais elle n'avait jamais été d'une beauté aussi spectaculaire que sa sœur, en particulier quand cette dernière travaillait pour la télévision, coiffée et parfaitement maquillée pour les caméras. Becky était seulement la fille d'à côté ; Ginny, une vraie pin-up.

— Est-ce que ça va ? demanda Alan, inquiet.

— Je viens de parler à Ginny. Elle est à New York. C'est demain l'anniversaire...

Il acquiesça.

— Puisqu'elle est de retour aux États-Unis, elle devrait venir voir son père, dit-il sur un ton de reproche.

Il en avait assez de voir Becky endosser tout le fardeau. Ginny avait toujours une bonne excuse...

— Elle a promis de le faire, répondit sa femme.

Sans rien ajouter, Alan se débarrassa de sa veste, s'assit dans son fauteuil préféré et alluma le téléviseur pour regarder les informations, tandis que Becky se levait et se dirigeait vers la cuisine pour préparer le dîner familial, toujours préoccupée par sa sœur. Leurs objectifs de vie avaient toujours été divergents, mais entre elles le fossé s'était creusé à l'extrême au cours des trois dernières années. Elles n'avaient plus rien en commun, si ce n'était leur enfance et leurs parents.

À New York, alors qu'elle ouvrait le robinet de la douche et se déshabillait, Ginny nourrissait des pensées similaires. Sa vie était si différente de celle de Becky... Elle n'avait plus ni foyer douillet ni famille à chérir. Contrairement à sa sœur, elle n'était plus reliée à personne, hormis les gens qu'elle secourait à travers le monde. Quand l'eau eut atteint la bonne température, elle la laissa couler sur son corps mince et élancé, se mêler aux larmes qui ruisselaient sur son visage... Elle savait à quel point la journée du lendemain serait douloureuse. Il en était ainsi chaque année, mais parfois elle se demandait à quoi tout cela rimait. Pourquoi s'obstinait-elle à tenir le coup, à rester en vie ? Pour qui ? Cela avait-il un sens ? Au fil du temps, elle avait de plus en plus de mal à répondre à cette question et rien ne changeait. Mark et Chris étaient partis pour de bon. Comment avait-elle pu vivre sans eux pendant ces trois années interminables ?

2

À son réveil le lendemain matin, Ginny constata que le temps était clair et ensoleillé. La fraîcheur de sa chambre trahissait toutefois le froid mordant qui régnait à l'extérieur. C'était l'avant-veille de Noël, le jour de l'année qu'elle redoutait le plus, et elle était encore sous le choc du dépaysement et du décalage horaire. Elle se tourna dans son lit et parvint à se rendormir. Quand elle rouvrit les yeux, le ciel s'était couvert, il neigeait. Elle trouva dans le placard de la cuisine un fond de café lyophilisé et quelques cacahuètes rances, qu'elle jeta. Il y avait aussi un paquet de préparation instantanée pour pancakes, acheté dans un accès de nostalgie, mais qu'elle n'utiliserait sans doute jamais : cela lui rappelait trop les pancakes en forme de Mickey Mouse qu'elle préparait autrefois pour son petit Chris... Elle n'avait pas le courage de sortir dans le froid pour aller chercher quelque chose à manger. D'ailleurs, elle n'avait jamais faim le 23 décembre. Elle retourna au salon en pyjama, s'efforçant de ne pas tourner la tête vers son vieux bureau, où trônait la photo au cadre argenté. On y voyait Mark et Chris, le jour du deuxième anniversaire du petit garçon. Elle s'assit dans son fauteuil et ferma les yeux. Les images de ce jour fatal, trois ans plus tôt, s'imposèrent inexorablement à elle : Chris dans son petit costume en velours rouge, avec un bermuda et un nœud papillon en tissu écossais. Impossible d'effacer cette vision. Les souvenirs étaient trop prégnants : la fête, le réveil à l'hôpital après l'accident, l'annonce de Becky le lendemain. Toutes deux avaient fondu en larmes. Ensuite, tout se perdait dans le brouillard. L'office funèbre s'était tenu à sa sortie de l'hôpital, un mois plus tard. Elle l'avait vécu dans un état proche de l'hystérie. Ensuite, elle était restée alitée chez Becky pendant des semaines. La chaîne de télévision qui l'employait s'était montrée incroyablement compréhensive, l'encourageant à prendre un congé sans solde plutôt que de démissionner. Mais Ginny savait qu'elle ne pourrait jamais y retourner sans Mark.

Depuis, elle vivait de leurs économies, de l'assurance-vie de son mari et des revenus de la vente de leur maison. Cela lui suffisait pour continuer à exercer le métier vers lequel elle s'était tournée, aussi faiblement rétribué fût-il. Plus question de luxe superflu, de toute façon. Elle avait placé tous les bijoux offerts par Mark dans un coffre à la banque en Californie. Ses seuls besoins : une nouvelle paire de chaussures de marche quand la précédente était usée, des vêtements simples et solides pour voyager. Elle ne se souciait plus de son look, pas davantage de ce qu'elle mangeait ni de l'endroit où elle habitait. Sa vie n'était plus qu'une coquille vide, qu'elle remplissait par son travail. Peut-être s'était-elle transformée en combattante pour la liberté afin d'apaiser son sentiment de culpabilité. Tout ce qu'elle aurait voulu, c'était mourir avec eux. Au lieu de quoi elle avait survécu et était condamnée à vivre sans eux jusqu'à la fin de ses jours. C'était là sa punition : continuer. La plupart du temps, elle évitait d'y penser. Mais ce jour-là, c'était impossible. Ses souvenirs la hantaient.

Le soir venu, elle se posta devant la fenêtre et regarda la neige tomber doucement sur les rues de New York. Les flocons tenaient au sol, il y en avait déjà près de dix centimètres. C'était beau. Elle eut envie de sortir. Le froid l'aiderait peut-être à échapper à ses pensées, à ses visions oppressantes. Et, bien qu'elle n'eût toujours pas faim après une journée de jeûne, elle pourrait s'acheter quelque chose à grignoter sur le chemin du retour. Il fallait bien se nourrir...

Ginny enfila deux gros pulls, un jean, ses fidèles chaussures de marche avec des chaussettes chaudes, un bonnet et sa parka. Elle en rabattit la capuche sur le bonnet et attrapa une paire de moufles dans un tiroir.

Elle fourra ses clés et son portefeuille dans sa poche, éteignit la lumière, tira la porte et descendit par l'ascenseur. Puis elle se mit à marcher dans la neige sur la 89e Rue, en direction de l'East

River, inspirant l'air glacé à pleins poumons. De grosses bouffées de vapeur s'échappaient à chacune de ses expirations. Elle traversa le jardin public pour rejoindre l'allée piétonnière le long du fleuve. Appuyée à la balustrade, elle contempla les bateaux qui passaient : un remorqueur poussant deux barges, ainsi qu'une péniche de réception tout illuminée pour une fête de fin d'année. La musique et les rires lui parvenaient dans la nuit.

Derrière elle, les voitures se faisaient rares sur FDR Drive. Alors qu'elle contemplait l'East River, les images de Chris et Mark s'imposèrent de nouveau à elle. Quel sens donner à l'existence depuis leur disparition ? Becky voyait juste : si Ginny se dévouait entièrement aux autres, c'était parce que sa propre vie ne lui était plus d'aucune importance. La plupart des gens la croyaient courageuse, mais elle seule savait à quel point elle était lâche, n'aspirant qu'à se faire tuer durant l'une de ses missions plutôt que de passer la fin de ses jours sans l'homme de sa vie et l'enfant qu'ils avaient eu ensemble.

Les yeux baissés sur l'eau noire et scintillante, elle songea qu'il serait très facile d'enjamber la rambarde et de se laisser glisser dans les flots. Tellement plus simple que de vivre avec ce vide abyssal. Envahie par un étrange sentiment de calme, elle se demanda combien de temps il lui faudrait pour se noyer. Les courants devaient être très forts à cet endroit et ses multiples couches de vêtements ne tarderaient pas à l'entraîner vers le fond. Tout à coup, cette idée lui sembla terriblement attirante. Ni sa sœur ni son père n'entraient en ligne de compte dans ses pensées. Becky avait une vie, une famille. Elles ne se voyaient jamais. Quant à son père, il ne réaliserait même pas qu'elle était morte. Oui, le moment était idéal pour tirer sa révérence.

Elle était sur le point de passer par-dessus bord quand un mouvement furtif, à la gauche de son champ de vision, attira son attention. Elle tourna la tête. Sa capuche l'empêcha de bien voir, mais elle aperçut une ombre blanche en train de se faufiler à l'intérieur d'une petite cabane de maintenance du parc, dont elle entendit la porte claquer. Clairement, quelqu'un venait de se cacher à l'intérieur, et Ginny songea avec appréhension que la personne en question avait peut-être l'intention de l'attaquer. Alors que sauter dans l'eau glacée lui paraissait tout ce qu'il y a de plus simple et raisonnable, se faire braquer par une racaille embusquée dans un préfabriqué était nettement moins attrayant, d'autant qu'elle risquait de s'en sortir vivante. Cependant, elle refusait de partir. Elle avait un plan à exécuter, pas question de le remettre au lendemain. Mourir le même jour que les siens, même trois ans après, avait quelque chose d'éminemment poétique. Son sens inné de l'ordre lui dictait de se tuer ce soir-là. Il ne lui venait pas à l'esprit que son raisonnement était altéré, son jugement paralysé par le chagrin. Se suicider lui paraissait tout ce qu'il y a de logique et d'évident. Et elle n'allait pas se laisser perturber par quiconque se cachait là-dedans. D'ailleurs, pourquoi ne sortait-il pas ? C'était agaçant. Elle guetta la porte, décidée à ne pas bouger d'un pouce si ce n'est pour passer à l'acte.

Après un moment de silence, elle entendit du bruit à l'intérieur, puis une quinte de toux étouffée. La curiosité l'emporta. La personne dans la cabane était peut-être malade. Elle avait peut-être besoin d'aide. Elle resta là un bon moment, les sens aux aguets, puis prit son courage à deux mains et alla frapper à la porte. Et s'il s'agissait d'une femme, en fin de compte ? Du coin de l'œil, il lui avait semblé apercevoir un homme, mais la silhouette avait disparu très rapidement à l'intérieur.

Elle attendit une minute de plus avant de frapper à nouveau. Elle ne voulait pas ouvrir la porte sans y avoir été invitée de peur d'effrayer l'occupant de la cabane. Elle patienta, frappa une troisième fois, ne sachant que faire.

— Est-ce que vous allez bien ? finit-elle par demander d'une voix ferme.

Pas de réponse. Mais alors qu'elle commençait à s'éloigner, une petite voix s'éleva :

— Oui... Ça va.

C'était une voix très jeune. Masculine ou féminine, elle n'aurait su le dire. Son instinct prit le dessus, elle oublia complètement le projet qu'elle avait eu l'intention de mettre à exécution un instant plus tôt.

— Est-ce que tu as froid ? Tu veux quelque chose à manger ?

Il y eut une très longue pause, comme si la personne prenait le temps de réfléchir.

— Non, ça va, répondit enfin la voix.

Cette fois-ci, il lui sembla que c'était un garçon.

— Merci, ajouta-t-il.

Au moins, il était bien élevé... Ginny sourit. Elle rebroussa chemin, de nouveau focalisée sur son plan. Mais elle avait été coupée dans son élan. À présent, elle ne se sentait plus aussi déterminée... Elle se rapprocha néanmoins de la balustrade, tout en se demandant qui se cachait là et pourquoi. À cet instant, elle entendit quelqu'un l'interpeller :

— Hé !

Elle fit volte-face, surprise, et découvrit un garçon de onze ou douze ans. Il portait un tee-shirt et un jean déchiré, des baskets montantes et avait les cheveux en bataille. Il la regardait avec de grands yeux. Même à cette distance, Ginny vit qu'ils étaient d'un bleu intense, presque électrique, dans un visage au teint café-au-lait.

— T'as à manger ? lui demanda-t-il.

Elle le regarda, stupéfiée par la légèreté de sa mise alors que la neige tombait sans discontinuer.

— Je peux aller acheter quelque chose, si tu veux.

Il y avait un McDonald's non loin ; elle y achetait souvent son petit déjeuner ou son dîner.

— Nan, ça va..., répondit-il, déçu et tremblant de froid devant la cabane.

Cette dernière appartenait à la municipalité, mais un jardinier avait dû oublier de la verrouiller. Visiblement, le garçon y avait trouvé refuge pour la nuit.

— Mais si, je peux aller chercher quelque chose, insista Ginny.

Après une hésitation, il secoua la tête et disparut dans la cabane, tandis que Ginny rejoignait la balustrade. Alors que sa décision de sauter dans l'eau lui semblait si évidente quelques minutes plus tôt, elle trouvait maintenant cette idée un peu bizarre... Et si elle se contentait de rentrer ?

Tout à coup, il fut près d'elle, la regardant de ses yeux d'un bleu intense sous ses cheveux noirs de jais.

— Je peux venir avec toi, lâcha-t-il tout en s'efforçant de ne pas trop trembler. J'ai de quoi payer.

C'était un signe. Le destin de Ginny n'était pas de se noyer dans le fleuve ce soir-là, mais de venir en aide à un enfant affamé. Elle ôta sa parka et la lui proposa, mais le gamin refusa, stoïque. Côte à côte, ils se mirent en chemin.

— Il y a un McDo à deux rues d'ici, lui dit-elle.

Elle s'efforça de marcher vite pour qu'il n'ait pas trop froid, mais le pauvre gamin grelottait de tous ses membres. Dans le fast-food, elle put l'observer à loisir sous les lumières vives. Il avait les yeux les plus bleus qu'elle ait jamais vus, dans un doux visage encore enfantin qui la contemplait d'un air plein d'innocence. On aurait dit que leurs routes étaient vouées à se croiser ce soir-là. À l'intérieur, il faisait bon. Le garçon se mit à sautiller sur place pour réveiller ses membres engourdis. Si elle avait osé, elle l'aurait serré dans ses bras pour le réchauffer.

— Qu'est-ce qui te ferait plaisir ? demanda-t-elle doucement. Ne te gêne pas. C'est presque Noël.

Il sourit et commanda deux Big Mac avec des frites et un grand Coca. Ginny se contenta d'un

Big Mac et d'un petit coca. Elle paya et ils allèrent s'installer à une table en attendant leur commande, qui arriva quelques minutes plus tard. Entre-temps, le garçon avait cessé de trembler. Il attaqua son repas avec enthousiasme et ce n'est qu'au milieu de son second hamburger qu'il fit une pause pour la remercier.

— J'aurais pu payer moi-même, dit-il, un peu gêné.

— Je n'en doute pas. Pour cette fois, c'est moi qui t'invite. Comment t'appelles-tu ? demanda-t-elle prudemment.

— Blue Williams. Blue, c'est mon vrai prénom, pas un surnom. Ma maman m'a appelé comme ça à cause de la couleur de mes yeux.

— Moi, c'est Ginny Carter, répondit-elle en lui serrant la main. Quel âge as-tu ?

— Seize ans, lâcha-t-il d'un air de défi qui cachait mal son inquiétude.

Il mentait, elle le voyait bien. De toute évidence, il craignait qu'elle ne le signale aux services sociaux. À seize ans, on échappait aux lois sur les mineurs isolés.

— Est-ce que tu veux aller dans un foyer pour la nuit ? Il doit faire froid dans la cabane. Je peux te déposer, si tu veux.

Il secoua la tête avec véhémence. D'un seul trait, il avala la moitié de son Coca ; il avait déjà fini ses deux sandwichs et presque toutes ses frites.

— Non, je ne suis pas si mal dans la cabane. J'ai un sac de couchage assez chaud.

Ginny jugea que c'était peu probable, mais elle ne le contredit pas.

— Depuis quand es-tu tout seul ?

Elle se demanda si elle avait affaire à un jeune fugueur. Si c'était le cas, ce qu'il fuyait devait être pire que sa vie dans la rue...

— Quelques mois, répondit-il vaguement. Je n'aime pas les foyers. Il y a plein de tarés, là-dedans. Tu te fais tabasser, voler... et beaucoup de types sont malades. Je risque moins là où je suis.

Ginny le crut volontiers. Elle avait déjà entendu parler de la violence dans les centres d'héberge-ment pour sans-abri.

— Merci pour le dîner, dit-il en souriant.

Il avait plus que jamais l'air d'un petit garçon, certainement pas d'un ado de seize ans. Visible-ment, il ne se rasait pas encore... Oui, c'était un enfant, bien trop jeune pour mener cette vie-là...

— Est-ce que tu aimerais autre chose ? proposa Ginny.

Il secoua la tête et tous deux se levèrent de table. Elle s'arrêta néanmoins pour acheter deux autres menus Big Mac à emporter et lui tendit le sac :

— Au cas où tu aurais faim plus tard...

Il ouvrit de grands yeux pleins de gratitude. Ils sortirent du fast-food et empruntèrent le même chemin qu'à l'aller. La neige tombait encore, mais le vent s'était calmé. De retour à la cabane, elle ôta sa parka et la lui tendit.

— Je ne peux pas te prendre ça, protesta-t-il.

Ginny ne lui laissa pas le choix. Il gelait à pierre fendre. Emmitouflée dans ses deux gros pulls, elle avait peine à concevoir combien le garçon devait avoir froid dans son pauvre tee-shirt tout fin.

— J'en ai une autre chez moi, le rassura-t-elle.

Lentement, il consentit à revêtir la parka, imperméable et chaudement doublée, et lui sourit à nouveau :

— Merci... pour le dîner et pour le manteau.

— Qu'est-ce que tu fais demain ? s'enquit-elle comme si le garçon devait gérer un carnet mondain bien rempli. Est-ce que ça te dirait de prendre le petit déjeuner avec moi ? Ou que je passe te déposer quelque chose à manger ?

— Je serai dans le coin. En général, je sors la journée, pour qu'on ne me voie pas ici.

— Je peux passer de bonne heure, si tu veux.

Il acquiesça.

— Pourquoi est-ce que tu fais ça ? demanda-t-il, perplexe et légèrement soupçonneux.

— Pourquoi pas ? À demain, Blue.

Sur ce, elle lui adressa un sourire et s'éloigna en direction de son appartement. Blue disparut dans la cabane, vêtu de sa parka, le sac de nourriture à la main. La jeune femme s'aperçut en chemin qu'elle avait oublié toute idée macabre. Maintenant qu'elle y repensait, ça n'avait vraiment aucun sens, cette histoire de sauter par-dessus la rambarde. Elle sourit. Quelle étrange rencontre ! Elle se demandait si Blue serait là quand elle reviendrait le lendemain. Rien n'était moins sûr...

Quoi qu'il en soit, il lui avait donné bien plus que ce qu'elle avait pu lui offrir. Elle savait avec certitude que, s'il n'avait pas surgi de nulle part, elle serait déjà au fond de l'eau à l'heure qu'il était. De retour chez elle, elle frissonna en réalisant à quel point elle avait frôlé la mort. Cela lui avait paru si facile, si simple... Enjamber la balustrade, laisser les flots se refermer sur elle, disparaître. Au lieu de quoi elle avait été sauvée par un garçon sans domicile du nom de Blue, au regard d'azur. C'est à lui qu'elle pensa en sombrant dans le sommeil ce soir-là. Et, pour la première fois depuis plusieurs mois, elle dormit paisiblement.

3

À son réveil, tôt le lendemain matin, Ginny s'aperçut que la neige avait cessé de tomber. Il y en avait maintenant une bonne trentaine de centimètres sur le sol. Elle se doucha et s'habilla en vitesse. À neuf heures, elle se tenait devant la cabane, sous un ciel gris. Elle frappa doucement à la porte. Une voix ensommeillée lui répondit. Un instant plus tard, Blue passa la tête au-dehors. Il était vêtu de la parka qu'elle lui avait donnée et tenait son sac de couchage à la main.

— Est-ce que je te réveille ? demanda-t-elle, avec l'air de s'excuser.

Il acquiesça en souriant.

— On va manger un morceau ?

À cette invitation, il roula son sac de couchage pour l'emporter avec lui, de peur de se le faire voler, sans doute. Il attrapa également un petit sac de sport en nylon qui contenait toutes ses possessions. En deux minutes, il fut prêt et ils retournèrent chez McDonald's. Blue se dirigea immédiatement vers les toilettes. Quand il ressortit, Ginny constata qu'il s'était brossé les cheveux et lavé le visage.

Ils commandèrent leur petit déjeuner et s'assirent à la même table que la veille.

— Au fait : joyeux Noël ! dit-elle alors qu'ils attaquaient leur repas.

Ginny avait pris un café et un muffin aux myrtilles, et Blue, deux Egg McMuffin au bacon ainsi qu'une portion de frites. Comme tout jeune garçon en pleine croissance, il était doté d'un solide appétit.

— J'aime pas trop Noël, répondit-il en sirotant son chocolat viennois.

— Moi non plus, reconnut Ginny d'un air détaché.

— Est-ce que tu as des enfants ? demanda-t-il.

— Non, dit-elle simplement.

À quoi bon préciser « J'en avais un… » ?

— Et toi, où sont tes parents, Blue ?

— Ils sont morts. Ma mère quand j'avais cinq ans. Mon père, il y a quelques années, mais je ne le voyais déjà plus depuis un moment. C'était un sale type. Ma mère, par contre, c'était une femme bien. Elle est tombée malade. Avant, je vivais chez ma tante, mais elle a des enfants et pas de place pour moi. Elle est infirmière.

Il jeta à Ginny un de ses regards soupçonneux :

— Tu es flic ? Assistante sociale ?

— Non. Je travaille pour une organisation humanitaire. Je voyage dans des pays très loin d'ici pour m'occuper des gens dans des zones de guerre,

44

ou d'autres endroits où ils ont besoin d'aide. En Afrique, en Afghanistan, au Pakistan... Je vais dans des camps de réfugiés, là où il y a des gens malades ou blessés, ou qui sont maltraités par les dirigeants de leur pays. Je reste un moment, ensuite je vais ailleurs.

— Mais pourquoi tu fais ça ?

— Parce que je pense que c'est bien de le faire.

— Est-ce que c'est dangereux ?

— Parfois. Mais je crois que ça en vaut la peine. Là, je suis rentrée il y a deux jours. J'ai passé quatre mois en Angola. Ça se trouve au sud-ouest de l'Afrique.

— Pourquoi est-ce que tu es revenue ?

Tout cela semblait bien étrange au jeune garçon.

— Quelqu'un d'autre a pris la relève, alors je rentre chez moi. La fondation pour laquelle je travaille nous change de poste au bout de quelques mois.

— Et ça te plaît ?

— Oui, la plupart du temps. Parfois c'est terrible, mais une mission ne dure que quelques mois. Et même si ça fait un peu peur ou si les conditions sont rudes, on s'habitue.

— Ils te paient beaucoup ?

Ginny éclata de rire :

— Non, très peu. C'est un travail qu'il faut faire par passion. Sinon, tu ne résistes pas. Souvent, c'est carrément flippant. Et toi, Blue ? Tu vas à l'école ?

— Non, pas en ce moment, répondit-il après une hésitation. J'y allais avant, quand j'étais chez

45

ma tante. Maintenant, je n'ai pas le temps. Je fais des petits boulots quand je peux.

Ginny opina. Dieu sait comment il avait pu survivre dans la rue, sans famille ni argent. Quelle tristesse... S'il était aussi jeune qu'elle le soupçonnait, il devait se cacher pour éviter d'être signalé et placé en foyer, voire en maison de correction. Sa place aurait dû être à l'école.

Alors qu'ils ressortaient dans la rue, Blue annonça qu'il irait à la cabane le soir venu, quand il ferait noir. Ginny se dit que ce devait être un endroit bien déprimant pour passer la veillée de Noël. Elle le regarda et prit une décision.

— Est-ce que tu veux passer un moment chez moi ? Tu peux y rester aussi longtemps que tu veux avant de retourner dans ta cabane. Regarder la télé. Moi, je n'ai rien de spécial à faire aujourd'hui.

Dans la soirée, elle avait prévu de servir le dîner dans un foyer pour les SDF. Autant se mettre au service des autres, plutôt que s'apitoyer sur son sort en attendant que la fête soit passée. Blue hésita. Pouvait-il faire confiance à cette femme étrange ? Mais il y avait en elle quelque chose qui lui plaisait. Et si tout ce qu'elle racontait était vrai, c'était quelqu'un de bien.

— D'accord. Je veux bien.

— J'habite à une rue d'ici, expliqua-t-elle alors qu'il lui emboîtait le pas.

Ils arrivèrent quelques instants plus tard. En entrant dans l'appartement, Blue regarda autour de lui, remarqua les meubles fatigués et les murs nus. Il sourit, agréablement surpris.

— Je pensais que tu habiterais un endroit mieux que ça.

Elle rit de bon cœur. Il avait la franchise de son jeune âge.

— Oui, c'est vrai... Je ne me suis pas beaucoup investie dans la déco depuis que j'ai emménagé ici. Je voyage beaucoup..., lâcha-t-elle avec un sourire penaud.

— Ma tante a trois enfants, dans un petit deux-pièces, au nord de la ville...

Harlem, sans doute – le quartier noir historique.

— ... et chez elle, poursuivit-il, c'est plus joli qu'ici !

Ginny rit de plus belle. Quelle claque ! Un jeune garçon sans-abri trouvait que son appartement avait des allures de taudis. Et elle ne pouvait pas lui donner complètement tort...

— Essaie le fauteuil relax. Tu verras, il est plutôt confortable, dit-elle en lui tendant la télécommande.

La présence du jeune garçon chez elle ne la mettait pas du tout mal à l'aise. Il n'avait pas l'air bien méchant... Au contraire, elle avait l'impression d'avoir trouvé en lui une forme d'alter ego. Tous deux étaient sans domicile fixe, chacun à sa manière. Au lieu de s'asseoir tout de suite, Blue se mit à faire le tour de la pièce et remarqua la photo de Mark et Chris sur le bureau. Il l'observa un moment, puis se tourna vers Ginny.

— C'est qui ?

Il avait deviné qu'ils étaient importants pour elle et que cette photo avait une histoire.

Prise au dépourvu, Ginny resta muette. Elle avait le souffle coupé. Puis elle répondit d'une voix aussi calme que possible :

— Mon fils et mon mari. Ils sont morts. Ça fait trois ans et un jour.

Blue marqua une pause, avant de hocher la tête.

— Je suis désolé. C'est vraiment très triste.

Mais ce n'était pas plus triste, en somme, que de perdre ses parents et de se retrouver à la rue.

— Oui, c'est un coup dur. Ils sont décédés dans un accident de la route. C'est pourquoi je voyage autant maintenant. Personne ne m'attend chez moi.

Elle détestait donner dans le pathos…

— Enfin, j'aime bien mon travail, se reprit-elle. J'y trouve mon compte, et j'aide les autres.

De son ancienne résidence californienne, somptueusement meublée, et de sa fulgurante carrière dans les médias, elle ne lui dit rien. Pas plus que des beaux vêtements qu'elle portait alors. Tout cela appartenait au passé et n'avait plus d'importance. Et puis Blue était trop jeune pour comprendre que son style de vie actuel était une façon pour elle de se punir, comme le sac et la cendre des anciens pénitents.

Le garçon alluma la télé et zappa pendant un moment. C'était les programmes de Noël… Régulièrement, cependant, il louchait sur son laptop. Alors que quelqu'un d'autre que Ginny aurait pu craindre de se le faire voler, cette pensée ne lui traversa même pas l'esprit, et quand il lui demanda, au bout d'une heure, la permission de l'utiliser, elle la lui accorda volontiers.

Elle vit du coin de l'œil qu'il consultait différents sites où les jeunes SDF pouvaient récupérer les messages adressés par leurs proches. Il n'écrivit rien, mais il sembla à Ginny qu'il était à la recherche de quelque chose.

— Tes amis te laissent des messages là-dessus ? demanda-t-elle avec intérêt.

Le jeune garçon naviguait avec autant d'aisance sur le Web que dans les rues.

— Ma tante m'écrit de temps en temps, expliqua-t-il. Elle s'inquiète pour moi.

— Est-ce qu'il t'arrive de l'appeler ?

Il secoua la tête.

— Non, il y a assez de choses dont elle doit s'occuper. Ses enfants, son travail... Elle bosse de nuit à l'hôpital, elle est obligée de laisser mes cousins tout seuls. Quand je vivais chez eux, c'était moi qui étais censé les surveiller le soir.

Alors qu'il rallumait la télévision, Ginny consulta sa propre boîte mail : aucun message. Un peu plus tard, sa sœur l'appela et lui présenta de plates excuses pour avoir omis de l'appeler la veille, date anniversaire du décès. Elle y avait pensé toute la journée mais n'en avait pas trouvé le temps.

— Je suis vraiment désolée, Ginny. Les gosses m'ont fait tourner en bourrique et papa avait passé une très mauvaise nuit. Je n'ai pas eu une minute à moi. Il a été très agité toute la journée. Il voulait sortir, mais je n'ai pas eu le temps de l'emmener. Il devient très nerveux quand il monte dans la voiture avec les enfants. Ils mettent la musique trop fort et n'arrêtent pas de parler. Il a besoin de calme...

Mais il dort mal, j'ai toujours peur qu'il essaie de se sauver au milieu de la nuit. Quand le soir tombe, que le soleil se couche, il devient anxieux, parfois colérique. Les médecins appellent ça le syndrome du crépuscule. Il va mieux en milieu de journée.

En écoutant sa sœur, Ginny réalisa à quel point elle connaissait mal la maladie de son père, et combien c'était difficile pour sa sœur. D'un côté, elle culpabilisait de ne pas l'aider, mais de l'autre elle se sentait complètement dépassée.

— Que fais-tu ce soir ? demanda Becky, inquiète de la savoir seule pour le réveillon.

Ginny ne lui dit pas qu'elle avait lié connaissance avec un garçon sans abri, qu'elle lui avait payé trois repas et qu'il avait passé la matinée chez elle. Certes, elle l'avait fait pour lui, mais aussi parce qu'elle appréciait d'avoir un peu de compagnie. Becky n'aurait pas compris si elle lui en avait parlé ; elle aurait paniqué et se serait lancée dans une litanie de mises en garde. Pour sa part, Ginny avait confiance. Elle était devenue bien plus courageuse avec toutes ses expériences dans des endroits improbables. Par le passé, elle non plus n'aurait pas osé agir de la sorte. Mais sa nouvelle vie l'avait changée. Et puis Blue était si aimable, poli et respectueux !

Désireuse d'écourter la conversation, Ginny ne dévoila donc à sa sœur que son projet d'aller donner un coup de main au réveillon du foyer pour SDF. Vers quinze heures, Ginny et Blue s'aperçurent qu'ils avaient faim et elle lui demanda ce qu'il voulait manger. Le regard du garçon s'éclaira lorsqu'elle suggéra de la cuisine chinoise : elle commanda un repas pantagruélique, qui leur fut livré en moins d'une heure. Assis à la petite table, sur deux des vilaines chaises dépareillées, ils dévorèrent la quasi-totalité du festin, après quoi ils se sentirent incapables de bouger. Blue regagna le fauteuil relax avec délice et s'y endormit presque aussitôt après avoir rallumé la télévision, tandis que Ginny, à pas de velours, défaisait ses bagages et rangeait ses affaires. Lorsqu'il se réveilla, vers dix-huit heures, il s'aperçut qu'il faisait nuit et adressa un sourire plein de gratitude à Ginny, laquelle avait apprécié cette journée autant que lui. La présence du garçon avait apporté une atmosphère chaleureuse à son appartement, d'ordinaire si froid et impersonnel. Pour Blue, c'était un cadeau tombé du ciel. Il n'avait pas été obligé de traîner du côté de la gare routière ou de Penn Station pour s'asseoir au chaud en attendant de regagner son abri précaire. Il savait que ce n'était qu'une solution temporaire, qu'un employé municipal finirait par le surprendre dans la cabane, mais en attendant – et depuis plusieurs semaines – c'était là son seul foyer. Il s'y sentait en sécurité.

— Il faut que j'y aille, lâcha-t-il en se levant d'un air de regret. Merci pour le repas et pour cette bonne journée.

— Tu as un rendez-vous galant ? le taquina Ginny.

En réalité, elle n'avait pas envie de le voir partir.

— Non, mais il faut que j'y retourne. Je ne veux pas que quelqu'un me pique ma cabane, expliqua-t-il, tel un riche propriétaire craignant que les squatteurs n'investissent sa résidence secondaire.

Il n'avait pas tort... Dans la rue, les abris sûrs et discrets étaient rares.

Sous le regard attristé de Ginny, il enfila la parka qu'elle lui avait donnée, passa aux toilettes et cala son sac de couchage sous son bras.

— Est-ce que je vais te revoir ? demanda-t-il, mélancolique.

Dans sa jeune vie chaotique, la plupart des gens ne faisaient que passer. Il n'était pas resté aussi longtemps avec la même personne depuis plusieurs mois. Les SDF allaient de foyer en foyer, ou de ville en ville. Il était rare de croiser les mêmes deux fois de suite.

Ginny répondit par une question :

— Tu ne veux pas que je t'emmène dans un foyer pour la nuit ?

Pendant qu'il dormait, elle avait trouvé sur Internet l'adresse de plusieurs centres d'accueil plus particulièrement destinés aux jeunes en difficulté : ils offraient le gîte, le couvert, parfois des propositions d'emploi. Des aides pour renouer avec la famille étaient proposées à ceux qui le souhaitaient, ce qui n'était pas le cas de Blue.

— Non, je suis très bien dans la cabane. Et toi, qu'est-ce que tu fais ce soir ? demanda-t-il comme s'ils étaient amis de longue date.

— Je sers le dîner dans un foyer. Je l'ai déjà fait, les années précédentes. Une bonne façon de passer le réveillon. Tu es sûr que tu ne veux pas venir avec moi ? La nourriture n'est pas mauvaise du tout.

Il secoua la tête. Le repas chinois l'avait calé pour un moment.

— Petit déjeuner demain matin ? suggéra alors Ginny.

Cette fois, il opina. Puis il se dirigea vers la porte et remercia une dernière fois avant de quitter l'appartement.

Alors qu'elle s'habillait pour aller prendre son poste au foyer, elle savait qu'il lui faudrait travailler dur pour servir des centaines de personnes. Ce centre d'hébergement distribuait plusieurs milliers de repas chaque soir. Une excellente occasion de s'épuiser à la tâche, d'éviter de penser au passé...

Elle prit un taxi vers le West Side et s'inscrivit sur la liste des bénévoles en arrivant. Pendant les deux premières heures, on lui assigna un poste en cuisine : il y régnait une chaleur suffocante et elle manqua de se casser le dos à transporter de lourdes marmites pleines de soupe de légumes et de purée de pommes de terre. Puis on l'envoya en salle, à remplir et servir les assiettes. Ce soir-là, il y avait une grande majorité d'hommes, tous d'humeur festive. Mais tout en travaillant, Ginny ne pensait qu'à Blue. Le jeune garçon devait être transi de froid dans sa cabane...

Il était près de minuit quand son service prit fin. Les derniers traînards étant partis, plusieurs bénévoles dressaient les longues tables pour le petit déjeuner. Ginny leur souhaita un joyeux Noël avant de s'en aller. Elle arriva à temps dans une église voisine pour assister à la messe et allumer des cierges à l'intention de Mark et Chris, de son père, de Becky et de sa famille. À une heure du matin, elle prit un taxi. Une fois en bas de son immeuble, elle n'hésita pas une seconde.

Elle parcourut à pied la courte distance qui la séparait de la cabane près du fleuve. Les rues étaient désertes. De peur de faire de mauvaises rencontres, Ginny restait sur le qui-vive. Un vent glacé s'était levé. D'après le chauffeur de taxi, la bise abaissait la température ressentie à moins douze degrés ! Passant le long de la balustrade où elle avait failli mettre fin à ses jours, elle marcha droit à la cabane et frappa juste assez fort pour espérer réveiller Blue. Elle dut recommencer l'opération plusieurs fois avant d'obtenir une réponse endormie :

— Ouais ? Quoi ?

— Je veux te parler, annonça Ginny à haute et intelligible voix.

Quelques secondes plus tard, il passait la tête par la porte et grimaçait sous le vent polaire.

— La vache, ça caille là-dehors…, dit-il en la regardant, les yeux plissés de sommeil.

— Oui. Et si tu finissais ta nuit sur mon canapé ? C'est Noël ! Il fait bien meilleur chez moi qu'ici.

— Non, ça va, je t'assure, répondit-il comme à son habitude.

Il ne voulait pas abuser de sa générosité, mais Ginny affichait un air déterminé.

54

— Je sais que ça va. Mais je veux que tu viennes avec moi. Juste pour ce soir. Ils annoncent des températures encore plus basses demain. Je ne veux pas que tu te transformes en glaçon. Tu vas tomber malade.

Après une brève hésitation, il ouvrit la porte en grand, comme s'il n'avait pas la force de résister, s'extirpa, chaussé et habillé, de son sac de couchage et le replia avant de suivre Ginny. Il était trop fatigué pour parlementer, d'ailleurs il n'en avait pas envie. La perspective de dormir au chaud était irrésistible et cette femme semblait décidément n'avoir que de bonnes intentions.

À l'appartement, Ginny improvisa un lit sur le canapé avec deux oreillers, des draps et une couverture. Blue n'avait pas connu de couchage aussi confortable depuis plusieurs mois. Elle lui passa un de ses pyjamas et lui dit qu'il pouvait se changer dans la salle de bains. Lorsqu'il en ressortit, il avait l'air d'un petit enfant flottant dans le pyjama de son père.

— Est-ce que ça va aller ? demanda Ginny, l'air inquiète.

— Tu plaisantes ? C'est dix fois mieux que mon sac de couchage, répondit-il en souriant.

Blue ne réalisait pas ce qui lui arrivait. Pourquoi Ginny déversait-elle tant de bonté sur lui ? Cela dépassait son entendement, mais il était bien décidé à profiter de cette chance. Elle le regarda se glisser entre les draps, puis elle éteignit la lumière et regagna sa chambre pour se changer et lire un moment. C'était étrangement réconfortant, de savoir qu'il y

avait quelqu'un chez elle, une présence humaine...
Une seule fois, elle entrouvrit la porte pour jeter
un coup d'œil : il dormait profondément, et elle
retourna se coucher en souriant. Quelle belle veillée de Noël, en définitive... La meilleure depuis
plusieurs années, pour elle comme pour lui.

4

Le lendemain, Ginny était en train de se préparer une tasse de café soluble quand Blue entra dans la cuisine, toujours vêtu du pyjama qu'elle lui avait prêté. Elle sourit : il avait l'air de l'un des Enfants Perdus de *Peter Pan*.

— Tu as bien dormi ? s'enquit-elle.

— Oui, comme un bébé. Tu t'es levée super tôt, non ?

Elle acquiesça :

— Je suis encore sous le coup du décalage horaire. Est-ce que tu as faim ?

— Un peu, répondit-il, gêné. Mais ça va. D'habitude, je ne mange qu'une fois par jour.

— Par nécessité ou par choix ?

— Les deux.

— Je ne réussis pas trop mal les pancakes et j'ai un sachet de préparation instantanée. Ça te dirait ?

— Carrément, admit-il.

Ginny avait même du sirop d'érable dans le placard et du beurre au congélateur. Une fois le petit déjeuner terminé, elle téléphona chez Becky pour souhaiter un joyeux Noël à toute la famille. Alan décrocha et ils causèrent un peu avant qu'il ne lui passe sa sœur.

— Tu crois que je devrais parler à papa, ou ça va l'embrouiller encore plus ? demanda Ginny au bout d'un moment.

Son père saurait-il qui elle était ? Et si oui, ne risquait-il pas de déprimer, de ressentir douloureusement son absence ?

— J'avoue qu'il s'emmêle pas mal les pinceaux, là, répondit Becky. Il me prend pour maman, et Margie et Lizzie pour toi et moi. Un jour comme aujourd'hui, il ne te reconnaîtrait pas, ni au téléphone ni en chair et en os.

— Mon Dieu, ce doit être si dur à gérer...

— Je ne peux pas dire le contraire. Et toi ? Comment vas-tu passer la journée ?

— Sans doute avec un ami, répondit Ginny, songeuse.

Depuis sa chambre, elle entendait Blue se servir de la douche. Il ne lui resterait plus qu'à laver et sécher les vêtements du garçon dans la buanderie de l'immeuble et il serait propre comme un sou neuf.

— Un ami ? Tu veux dire un mec ? s'étrangla Becky.

Cela faisait belle lurette qu'elle avait cessé d'encourager sa sœur à faire de nouvelles rencontres. Ginny n'était pas prête : elle n'avait pas envie de raconter son histoire à des inconnus, pas plus qu'elle ne voulait de leur pitié. Or on ne pouvait pas nouer des liens sans se confier. Jusque-là, rien n'y avait fait, Ginny restait fermée comme une huître.

— Pas un mec, un garçon, rectifia Ginny d'un ton détaché.

— Comment ça, un garçon ?

— Un gamin sans abri. Il a passé la nuit ici.

Elle regretta aussitôt cette révélation. Sa sœur et elle ne vivaient pas sur la même planète.

— Tu as laissé un SDF dormir chez toi ?! Est-ce que t'as couché avec lui ?

— Bien sûr que non, voyons ! C'est un enfant. Il a passé la nuit sur le canapé. Il vit dans une cabane tout près de l'appart, mais dehors il fait moins dix. On peut mourir d'hypothermie avec une température pareille.

— As-tu perdu la tête, Ginny ? Il pourrait te tuer dans ton sommeil.

— Mais non, il a onze ans, douze tout au plus. C'est un très gentil garçon.

— Tu ne sais rien de lui, ni d'où il vient. Qu'est-ce qui te prouve qu'il n'est pas plus âgé qu'il le prétend ? Que ce n'est pas un criminel ?

Voilà qui relevait de l'absurde. Après avoir vaguement envisagé de fermer à clé la porte de sa chambre en se couchant, Ginny s'était raisonnée. Blue n'avait vraiment rien de menaçant.

— Crois-moi, Becky, ce n'est qu'un gosse, il est très mignon. Il ne ferait pas de mal à une mouche. Je vais essayer de le convaincre d'aller dans un foyer pour mineurs. Il ne peut pas rester dehors avec le temps qu'il fait.

— Et pourquoi voudrais-tu qu'il accepte, si tu le laisses dormir chez toi ?

— D'abord parce que je repars dans quelques semaines et qu'il ne peut pas rester ici tout seul.

À cet instant, Blue apparut à la porte, lavé de frais. Il portait encore son pyjama trop grand et tenait ses vêtements sous le bras.

— Bon, je ne peux pas te parler de ça maintenant, déclara Ginny. Il faut que je fasse une lessive. Je t'appelais juste pour te souhaiter un joyeux Noël. Embrasse les enfants et papa de ma part.

— Ginny, attends ! Fais sortir ce gamin de chez toi ! ordonna Becky, criant presque. Il va te tuer.

— Mais non, tu dis n'importe quoi ! Je te rappelle demain, conclut Ginny avant de raccrocher.

À Pasadena, Becky lança à son mari un regard paniqué.

— Ma sœur a perdu la tête, lui dit-elle, au bord des larmes. Elle a recueilli un sans-abri chez elle.

— Doux Jésus, elle est vraiment folle ! s'exclama Alan. Il est temps qu'elle retrouve un semblant de normalité, ou elle finira par se faire tuer.

— Qu'est-ce que j'y peux ? Je suis là, à essayer d'empêcher mon père de se perdre ou de se faire écraser par un camion en traversant la rue... Il faudrait en plus que j'empêche ma sœur de se faire égorger par les SDF qu'elle héberge chez elle ? Non, je te jure, elle est bonne à enfermer !

— On en arrivera peut-être là un jour, commenta Alan d'un air sombre.

Depuis le début, il craignait que Ginny ne perde littéralement la tête à la suite du décès de son fils et de son mari. Mais Becky avait raison : ils n'y pouvaient rien.

À New York, Blue était inquiet, lui aussi.

— C'était qui ?

— Ma sœur de Californie, répondit Ginny en lui prenant les vêtements des mains. Avant, j'habitais à Los Angeles.

— Tu repars bientôt ? demanda-t-il, profondément dépité.

— Mais non, pas tout de suite...

La peur de l'abandon se lisait dans les yeux si bleus du jeune garçon.

— Peut-être courant janvier, mais je ne sais pas encore. Ensuite, je reviendrai. Je reviens toujours, lui assura-t-elle en souriant.

— Et s'il t'arrivait quelque chose ?!

Elle faillit répondre « Personne ne me regrettera », mais l'expression de Blue, qui la scrutait de ses grands yeux bleus, lui prouvait précisément le contraire.

— Il ne m'arrivera rien. Je fais ce boulot depuis deux ans et demi. Je connais mon affaire et je connais mes limites. Ne t'inquiète pas pour moi. Bon, parlons plutôt du programme de la journée. Puisque nous détestons tous les deux Noël, nous n'avons qu'à faire quelque chose qui n'a rien à voir. Qu'est-ce que tu aimes ? Le ciné ? Le bowling ? Tu sais faire du patin à glace ?

Il secoua la tête, l'air toujours aussi préoccupé.

— J'allais parfois au bowling avec ma tante Charlene, avant... avant qu'elle ne soit trop occupée.

61

Ginny sentit qu'il ne lui disait pas tout, mais elle n'avait pas l'intention de lui tirer les vers du nez.

— On essaie de réussir quelques strikes ? suggéra-t-elle.

— D'accord.

— Ensuite, nous irons voir un film, puis ce sera l'heure de dîner.

Pour Blue, c'était le paradis. Elle voulait qu'il profite de ce moment avec elle, surtout qu'elle n'avait pas la moindre idée de ce que l'avenir leur réservait. Puisque c'était Noël, autant passer une bonne journée. Elle avait prévu de rester au lit, de lire et de rédiger son rapport, mais tout cela pouvait attendre.

Une heure plus tard, Ginny remontait le linge de la buanderie, située au sous-sol. Blue enfila ses vêtements propres, secs et encore chauds. Après avoir téléphoné pour s'assurer que ce serait ouvert en ce jour férié, ils se rendirent à une salle de bowling du centre-ville. Ils jouaient aussi mal l'un que l'autre, mais s'amusèrent comme des petits fous. Ils finirent l'après-midi au cinéma. Ginny avait visé dans le mille en choisissant un film d'action en 3D : Blue fut fasciné par cette technologie qu'il découvrait pour la première fois. Ils se régalèrent ensuite de hot-dogs dans un *deli* typiquement new-yorkais et rentrèrent à l'appartement après quelques courses à la supérette du coin. La nuit était tombée, il neigeait abondamment. Ginny demanda à Blue s'il souhaitait à nouveau profiter de son canapé. Il répondit d'un hochement de tête, et, pour la deuxième fois, elle lui installa un couchage de fortune. Elle le laissa devant la télévision tandis qu'elle se retirait dans sa chambre. À peine s'était-elle glissée sous la couette avec un livre que le téléphone sonna : c'était Becky.

— Tu es en vie ? Il ne t'a pas encore trucidée ?

Elle ne plaisantait qu'à moitié. Elle avait passé la journée à s'inquiéter de la santé psychique et du manque de jugeote de sa sœur.

— Non, et ça ne risque pas d'arriver. C'est Noël, Becky, laisse ce gamin tranquille !

— Est-ce que tu vas le mettre à la porte demain ?

— Je verrai. Je veux lui trouver un endroit convenable. Il a peur des foyers.

— Oh, pour l'amour de Dieu... Moi, c'est pour ta sécurité que j'ai peur ! Où est sa famille ?

— Je ne le sais pas encore. Il a perdu ses deux parents. Il vivait avec sa tante, mais quelque chose s'est mal passé.

— Ginny, ce n'est pas ton problème. Il y a des millions de sans-abri dans le monde. Tu ne peux pas tous les héberger. Prends un peu soin de toi ! Pourquoi tu ne cherches pas un travail à New York ? Avec ce boulot dans l'humanitaire, tu commences à te prendre pour mère Teresa. Tu ferais mieux de venir voir ton père, au lieu de ramasser des orphelins dans la rue.

— Moi aussi, j'ai perdu ma famille, Becky. Personne ne m'attend chez moi. Laisse-moi le droit de consacrer ma vie aux autres.

— Ta famille, c'est nous. Reviens vivre à L.A.

— Je ne peux pas. J'en mourrais. Et je ne veux pas d'un emploi de bureau. J'aime ce que je fais, j'y trouve une vraie gratification.

— Tu ne peux pas sillonner la planète jusqu'à la fin de tes jours. Et si tu veux une famille qui t'attende chez toi, il faudrait que tu te décides à rester au même endroit plus de dix minutes d'affilée. Ce n'est pas dans les zones de guerre et les camps de réfugiés que tu pourras fonder un foyer. Tu dois reconstruire ta vie tant qu'il est encore temps. Si tu continues tes bêtises, tu n'arriveras jamais à te poser.

— Peut-être bien que je n'en ai pas envie, lâcha Ginny.

Cette conversation ne menait à rien. Heureusement, Becky devait conduire sa fille cadette chez une amie et elle ne tarda pas à raccrocher. À vingt-deux heures, Ginny alla voir comment allait Blue : le jeune garçon dormait profondément. Elle lui ôta doucement la télécommande des mains, la posa sur la malle qui faisait office de table basse, le borda et éteignit la lumière. Elle retourna ensuite à sa lecture jusqu'à minuit. La tête sur l'oreiller, elle songea à ce que Becky lui avait dit. Elle verrait bien comment la situation évoluerait avec Blue. Elle espérait le convaincre de prendre contact avec sa tante, ne serait-ce que pour la rassurer. Ensuite, elle voulait le placer dans un centre d'hébergement convenable, où il pourrait trouver l'aide dont il avait besoin. Elle voulait le mettre entre de bonnes mains avant de repartir. Leur rencontre n'était pas purement fortuite. Si leurs chemins s'étaient croisés, c'est qu'il y avait une bonne raison : cet enfant était sa nouvelle mission. Tout en s'endormant, elle se jura de la mener à bien.

Le lendemain matin, alors que Ginny préparait le petit déjeuner, Blue se connecta de nouveau à plusieurs sites pour les jeunes en difficulté. Tandis qu'il fronçait les sourcils en lisant un message plus attentivement que les autres, elle posa une assiette d'œufs brouillés près de lui. Le mail était signé d'une certaine Charlene, qui lui demandait de l'appeler. Ginny nota mentalement l'adresse du site Web.

Après le petit déjeuner, elle prit le taureau par les cornes.

— Blue, tu ne peux pas retourner à la cabane. Il fait trop froid en ce moment. Et tôt ou tard, un employé municipal reviendra la fermer à clé.

— Il y a d'autres endroits où je peux aller, déclara-t-il avec un coup de menton bravache.

Puis il se tourna vers elle :

— Mais pas aussi bien qu'ici, murmura-t-il.

— Tu peux rester tant que je suis là. Mais il va falloir que je reparte le mois prochain, pour un bon moment. D'ici là, il faudrait que nous te trouvions un hébergement correct.

— Pas un foyer, répliqua-t-il.

— Il existe des solutions de long terme pour les jeunes sans abri. J'ai regardé sur Internet et certains de ces centres n'ont pas l'air mal du tout : on peut entrer et sortir comme on veut.

— Dans les foyers, on se fait racketter ; la plupart des jeunes sont des toxicos !

— Bon, peut-être, mais nous devons bien te trouver une solution. Je ne peux pas t'emmener avec moi.

Il avait l'air d'un oiseau fragile qui se serait temporairement posé sur sa branche. Mais il lui faudrait reprendre son envol en même temps qu'elle.

— Moi, tout ce que je veux, c'est une chambre où dormir et un petit boulot.

Le pauvre gamin ne doutait de rien... À l'âge qu'il avait, les seules personnes susceptibles de l'embaucher étaient les dealers de drogue ! Or, en dépit de la précarité de sa situation, il semblait avoir réussi à éviter ce piège.

— Quel âge as-tu, Blue ? Sans mentir, cette fois, dit-elle d'un ton sévère.

Il resta muet un long moment.

— Treize ans, grogna-t-il enfin entre ses dents. Mais je sais faire plein de trucs. Je me débrouille sur l'ordi... et puis je suis costaud !

À vrai dire, sa bonne volonté ne compensait certainement pas sa maigreur d'enfant dénutri.

— Depuis quand as-tu quitté l'école ?

— Depuis septembre. Je suis en troisième, mais j'en avais trop marre !

— Donc tu pourrais entrer au lycée l'année prochaine, calcula-t-elle, songeuse.

Si Christopher avait vécu, il aurait eu six ans aujourd'hui. Ginny n'avait pas l'habitude des adolescents. Sa sœur en savait bien plus long qu'elle sur ce sujet, mais Ginny ne pouvait pas lui demander conseil à propos de Blue...

— Je te propose un marché, énonça-t-elle enfin. Si tu retournes à l'école, je te paierai pour les services que tu me rendras.

— Genre quoi ? demanda-t-il, méfiant.

— Toutes sortes de choses. Le ménage, par exemple. Et j'aurais besoin d'un coup de main pour déplacer des trucs. Tu vois, je pourrais sans doute me débarrasser de mes vieux meubles pour m'embourgeoiser un peu, dit-elle en jetant un regard circulaire sur son bric-à-brac.

Blue sourit.

— Ouais, ça ferait un beau feu de joie, c'est sûr ! déclara-t-il d'un ton malicieux.

Et tous deux d'éclater de rire.

— Ne sombrons pas dans une telle extrémité. Tu peux aussi faire des courses pour moi... On verra.

— Combien tu paies ? s'enquit-il d'un ton sérieux qui donna encore à Ginny l'envie de rire.

— Ça dépend des travaux. Je te propose le minimum horaire.

Après un instant de réflexion, il acquiesça.

— Bon, d'accord. Mais pourquoi tu tiens à cette histoire d'école ? Ça me prend la tête.

— Si tu ne passes pas le bac, tu te prendras la tête jusqu'à la fin de tes jours. Tu es intelligent, tu as toutes les capacités pour faire de bonnes études. On ne peut pas trouver de boulot intéressant à moins d'avoir été au lycée, puis éventuellement à la fac.

— Et ensuite ?

— Ensuite, ça dépend de toi. Mais sans diplôme, tu ne pourras que remplir des cornets de frites chez McDonald's. Tu mérites mieux que ça.

— Et comment tu le sais ?

— Crois-moi, je le vois.

— Tu ne me connais même pas ! lança-t-il d'un air de défi.

— C'est vrai, mais je sais que tu es malin et que tu pourrais aller loin si tu le voulais.

Blue était plein de ressources, ça se voyait. Il n'avait pas les deux pieds dans le même sabot. Il ne lui manquait que de bonnes opportunités pour réaliser son potentiel.

— Alors ? Tu es d'accord ? Si oui, je t'aiderai à t'inscrire au collège public du quartier pour que tu finisses ta troisième.

Ginny ne précisa pas qu'elle devrait pour cela prendre contact avec sa tante, laquelle restait vraisemblablement sa tutrice légale. Pas question de l'effrayer pour le moment. Blue resta silencieux pendant un temps qui lui sembla infini. Enfin, il leva les yeux vers elle.

— Je vais essayer, concéda-t-il de mauvaise grâce. Mais si c'est relou et plein de crétins... ou que les profs sont sadiques, je me tire de là.

— Non. Crétins ou pas, tu prends sur toi jusqu'au mois de juin, puis tu entres au lycée à l'automne. C'est non négociable.

— Bon, bon, d'accord. Et quand est-ce que je commence à travailler pour toi ?

— Pourquoi pas tout de suite ? Il faut laver la vaisselle et passer l'aspirateur. Et il y a aussi des courses à faire.

Blue avait déjà fini le lait qu'ils avaient acheté la veille et Ginny avait oublié d'acheter des fruits.

— Tu veux bien ? Je te fais une liste. Qu'est-ce que tu aimes manger ?

Elle attrapa sur son bureau un crayon et un morceau de papier, et nota quelques produits de base. Blue lui dicta ensuite sa propre liste, constituée de céréales hyper sucrées, de bonbons acidulés, de chips, de cookies, de lanières de bœuf séché et de beurre de cacahuètes. Sans oublier toutes sortes de sodas.

— Ton dentiste va m'adorer ! soupira Ginny.

En le disant, elle réalisa que le jeune garçon ne devait pas faire examiner sa dentition très souvent... Mais chaque chose en son temps : le remettre dans le droit chemin de l'éducation restait la priorité pour le tirer d'affaire.

Blue partit donc à la supérette, muni de la liste de courses et de trois billets de vingt dollars. Dès qu'elle entendit se refermer la porte de l'ascenseur, elle alluma son ordinateur portable et retrouva le message de Charlene. Il était daté de la veille. Ginny se hâta d'y répondre, tout en espérant qu'il s'agissait bien de sa tante. N'était-ce pas le prénom qu'il avait cité en parlant du bowling ?

J'ai des nouvelles de Blue. Il va bien et est en sécurité, entre de bonnes mains. Merci de m'appeler à ce numéro, Virginie Carter.

Ginny était assise sur le canapé, à lire un magazine comme si de rien n'était, lorsque Blue rentra, les bras chargés de sacs. Il lui remit aussitôt la monnaie, puis s'assit pour noter le temps passé à faire les courses, afin que Ginny comptabilise son salaire.

— Très professionnel, approuva-t-elle en souriant. Elle constata avec surprise qu'il avait une écriture nette, lisible et régulière. Il occupa le reste de sa matinée à faire le ménage et à aider Ginny à déplacer les meubles. Avec une mine de dégoût, il jeta sa plante morte depuis longtemps. L'après-midi venu, ils sortirent se promener. Blue fit la grimace quand Ginny lui montra le collège dont elle lui avait parlé. Ce fut pire quand ils passèrent devant une église : il semblait plein de colère contenue et de hargne.

— Tu n'aimes pas les églises ? fit Ginny, surprise qu'il ait des idées aussi arrêtées.

Elle-même n'était pas très pratiquante, mais elle n'avait pas perdu son sentiment de lien avec Dieu, une spiritualité individuelle qui lui convenait.

— Je déteste les curés, grogna Blue.

— Et pourquoi donc ?

— Je les déteste, point final. C'est tous des connards. Et de gros hypocrites. Ils se font passer pour des gens bien, mais c'est pas vrai.

— Pas tous, répondit calmement Ginny. Tu ne peux pas généraliser. Il y a des bons et des méchants partout.

— Ouais, mais les curés, ils se prennent pour Dieu.

Elle vit qu'il était à cran et ne voulut pas le pousser dans ses retranchements. Il était si difficile de le percer à jour... On aurait dit une fleur en bouton : il fallait lui laisser le temps d'éclore.

Après le dîner, ils s'offrirent une séance de cinéma – pas en 3D cette fois –, puis commentèrent le film avec enthousiasme sur le chemin du retour. Le jeune garçon avait beaucoup d'humour et s'exprimait avec aisance. Ginny appréciait de parcourir les rues avec lui tout en bavardant, et l'on aurait pu croire qu'ils se connaissaient de longue date. De retour à l'appartement, il lui demanda combien il avait gagné ce jour-là et ils firent le total ensemble. Blue, satisfait, lui adressa un grand sourire avant de s'installer devant la télévision. Ginny passa le reste de la soirée à travailler sur son ordinateur, tout en guettant son téléphone. Pourvu que Charlene l'appelle... C'est au matin, alors qu'elle était encore dans son lit, que le coup de fil tant attendu arriva. La femme se présenta effectivement comme la tante de Blue.

— Et vous, êtes-vous assistante sociale ? Ou bien flic ? demanda-t-elle à Ginny avec un mélange de soulagement et de suspicion dans la voix. Ou alors, vous faites partie d'une association de protection de l'enfance ?

Ginny expliqua sa rencontre avec Blue, avant de lui poser à son tour une question :

— Depuis quand n'avez-vous pas vu votre neveu, madame ?

Sa voix agréable, ferme et intelligente, inspirait confiance.

— Depuis le mois de septembre. Pour tout vous dire, ça se passait de plus en plus mal à la maison. J'ai trois enfants dans un tout petit appartement. Ils se partagent la chambre à coucher. Moi je dors sur le canapé. Pour Blue, je n'avais qu'un matelas par terre. Ce n'est pas une vie pour un garçon de son âge. Mais si sa pauvre maman le savait à la rue… Et puis il faut dire qu'il ne s'entend pas avec mon compagnon, ajouta prudemment Charlene. Harold a tendance à boire, ils se disputaient tout le temps. Blue n'aime pas la façon dont il me parle. Ce garçon a un côté très protecteur, parfois trop. Un jour, ça a dégénéré, Harold a essayé de lui mettre un coup de poing. C'est la goutte d'eau qui a fait déborder le vase : Blue est parti juste après. Il n'y avait pas la place pour eux deux. Dans un sens, je comprends qu'il se soit sauvé. Harold passe parfois la nuit à la maison, et Blue était obligé de dormir dans la baignoire. De plus, le père de Blue ressemblait beaucoup à Harold : il lui arrivait de lever la main sur lui, et sur sa maman aussi. Elle, c'était une perle, elle aimait ce gamin à la folie. Son seul regret, en mourant, c'était de le laisser seul. Je l'ai pris chez moi, je le lui avais promis, mais à l'époque je n'avais qu'un petit bébé. Maintenant, avec mes trois enfants, ce n'est plus possible. Pas assez d'argent, d'espace, de temps. Il faut qu'il soit placé, qu'il trouve une bonne famille.

— J'ai l'impression que ce n'est pas son souhait, répondit Ginny. Et je doute que beaucoup de gens soient prêts à adopter un jeune de son âge. L'adolescence est une période difficile.

— C'est un gentil garçon, et si intelligent…, rétorqua Charlene avec tendresse. Il a été mis à rude épreuve, avec la mort de sa maman. Et son père n'était qu'un bon à rien. Il a fait de la prison pour trafic de drogue, et il est mort il y a trois ans, mais Blue ne le voyait jamais. Je suis sa seule parente.

Quelle tristesse... Et dire qu'il y avait des milliers de gosses dans des situations similaires ! Mais quelque chose en Blue avait touché le cœur de Ginny.

— Pour le moment, expliqua-t-elle, j'espère le placer dans un centre d'hébergement pour adolescents. Il a déjà accepté de retourner à l'école.

— Ah ça, par contre, il ne restera pas... Il finit toujours par s'enfuir. À force, il est devenu comme un animal sauvage : si on l'approche de trop près, il prend la poudre d'escampette. Je pense qu'il a peur, il ne veut pas s'attacher. Il doit croire que nous allons tous mourir, comme ses parents. Il est si sensible...

L'analyse de Charlene était riche d'enseignements pour Ginny.

— Voulez-vous que j'essaie de le convaincre de venir vous voir ? proposa cette dernière.

— Il ne voudra pas. Et si Harold passe à ce moment-là, il y aura du grabuge. Dites-moi juste où il se trouve. Moi, je n'y arrive plus, je crains de ne rien pouvoir faire pour lui.

Charlene semblait avoir jeté l'éponge avec Blue. Elle avait pris parti pour son compagnon. Ginny sentit son cœur se serrer. Blue n'avait pas de filet de sécurité, personne en qui il pouvait avoir confiance... si ce n'était elle.

— Je vous tiendrai informée si j'arrive à lui trouver une place dans un foyer. Je dois partir d'ici quelques semaines, pour plusieurs mois, mais j'espère trouver une solution d'ici là.

— Où que vous le placiez, il ne restera pas. C'est un gamin des rues. Et je doute qu'il retourne à l'école un jour.

— Quel pessimisme ! Il ne faut pas perdre espoir !

— Je ne me fais pas d'illusions, c'est tout, répliqua Charlene. Je suis aide-soignante au Mount Sinai Hospital. J'ai essayé de l'intéresser à mon métier, mais il m'a dit que c'était crado. Blue passe trop de temps à rêver. Il croit qu'un jour il décrochera un bon boulot sous prétexte qu'il est futé. Vous et moi, on sait que ça ne suffit pas.

— C'est bien pour ça que je voudrais le remettre sur le chemin de l'école, s'obstina Ginny. Pour le moment, il a accepté.

— Il commence toujours par dire oui, soupira Charlene. Mais ne le laissez pas vous briser le cœur. Depuis ce qui est arrivé à sa maman, il ne s'attache à personne. Il était trop jeune pour encaisser une chose pareille.

Ginny fronça les sourcils. Comment la tante de Blue pouvait-elle partir du principe qu'il était brisé à jamais ? Elle, elle voulait essayer d'inverser la tendance. Comme elle le faisait quand elle s'employait à changer la situation des gens à travers le monde. En outre, Blue n'avait que treize ans, c'était un garçon intelligent et il vivait tout de même dans un pays développé ! Il pouvait s'en sortir !

— Je vous donnerai de ses nouvelles avant de m'en aller, promit Ginny avant de raccrocher.

Tout en préparant le petit déjeuner, Ginny réfléchissait à sa conversation téléphonique avec Charlene. Elle n'osait pas dire à Blue qu'elle avait parlé à sa tante : ne risquait-il pas de croire qu'elles se liguaient contre lui ?

— Et si nous allions jeter un coup d'œil à l'un de ces foyers ? suggéra-t-elle après le repas.

Les yeux de Blue prirent un éclat dur et froid.

— J'aimerais mieux que tu me donnes un peu de travail, esquiva-t-il.

Clairement, il voulait rester ici et ne tenait pas compte du fait qu'elle allait bientôt partir.

Sans lui en rien dire, Ginny lui acheta classeurs, cahiers, stylos et crayons ; toutes les fournitures dont il aurait besoin au collège, y compris une calculatrice flambant neuve. Elle les cacha dans un sac au fond de sa penderie.

Le soir de la Saint-Sylvestre, ils regardèrent la retransmission télévisée du compte à rebours sur Time Square. Blue fut émerveillé par la foule, les lumières et les feux d'artifice...

Le lundi suivant, tous deux se rendirent au collège qu'elle lui avait montré, afin d'y rencontrer le principal adjoint. Ginny fournit son adresse, se gardant bien de préciser qu'elle n'hébergeait le garçon qu'à titre provisoire. Blue donna le nom du dernier établissement qu'il avait fréquenté et expliqua qu'il avait vécu chez sa tante, mais que ce n'était plus le cas. Le principal adjoint, habitué à ce que les élèves déménagent sans cesse, ne posa pas d'autres questions à ce sujet.

— Êtes-vous sa responsable légale ? se contenta-t-il de demander à Ginny.

— Non, répondit-elle après une hésitation. Il est à la charge de sa tante, bien qu'il ne vive pas avec elle.

— Alors elle devra signer tous ces papiers, annonça-t-il en leur tendant un dossier. Ensuite, Blue pourra réintégrer une classe de troisième, mais il lui faudra rattraper le retard accumulé depuis le mois de septembre.

Lorsqu'ils sortirent du bureau, cinq minutes plus tard, le jeune garçon avait l'air morose.

— Je suis vraiment obligé ? gémit-il en glissant à Ginny un regard désespéré.

— Absolument. Et ta tante doit signer ces papiers. Est-ce que je peux l'appeler ?

— Ouais... je suppose, finit-il pas répondre. Mais elle se fiche bien que j'aille ou non à l'école.

— Je suis persuadée du contraire, soutint Ginny avec aplomb. Moi, en tout cas, je ne m'en fiche pas. C'est la seule solution, Blue, si tu ne veux pas galérer toute ta vie. Tu ne trouveras jamais de boulot correct si tu ne finis même pas le collège.

De retour à la maison, ils téléphonèrent donc à Charlene. Elle voulait bien signer les papiers le soir même, à condition que Ginny les lui apporte à l'hôpital. La tante de Blue prenait son service à vingt-trois heures. Avant de partir, Ginny demanda au garçon s'il voulait l'accompagner, mais il se contenta de secouer la tête sans quitter sa place sur le canapé.

— Je vais attendre ici, dit-il d'une petite voix.

Le pauvre gamin n'avait plus ni attaches ni amarres ; il flottait à la dérive, refusant même de voir sa propre tante. Ginny devinait que les choses s'étaient mal terminées entre Harold et lui... bien pire sans doute que ce qu'avait dit Charlene. Ce n'était pas une raison pour le laisser sombrer. Et Ginny s'était promis de le mener à bon port. « Rien n'est impossible », telle était sa devise, et elle l'avait déjà répétée plusieurs fois à Blue.

Ginny se rendit au Mount Sinai Hospital. Charlene était une jolie Afro-Américaine, âgée d'une trentaine d'années. Au cours de la conversation, elle mentionna en passant que le père du jeune garçon, qui était blanc, lui avait transmis ses extraordinaires yeux bleus. Il devait à la combinaison de ses parents son teint café-au-lait. Les deux femmes s'accordèrent pour dire que c'était un très bel enfant.

— Merci pour tout ce que vous faites pour lui, soupira Charlene après avoir signé les formulaires. J'espère que vous ne serez pas déçue, qu'il tiendra bon, cette fois.

— S'il le faut, je l'emmènerai au collège par la peau du cou. Je n'ai pas l'intention de perdre cette bataille.

— Mais pourquoi faites-vous ça ? Pourquoi vous souciez-vous autant de lui ?

Charlene était perplexe. Cette femme blanche habitait dans un quartier correct, parlait comme une personne éduquée et devait bien avoir une vie avant de rencontrer Blue.

— Il a droit à sa chance, répondit Ginny. Comme tout le monde. Certains d'entre nous naissent sous une meilleure étoile que d'autres. Blue mérite une belle vie et c'est encore possible, parce qu'il est jeune. Ce dont il a besoin, c'est que quelqu'un lui donne un coup de pouce et croie en lui. Vous,

vous devez déjà vous occuper de vos enfants, tandis que je suis seule. Je peux bien consacrer un peu de mon temps à Blue.

Dans le regard de Ginny, quelque chose interpella Charlene, comme l'expression d'une profonde douleur. Mais elle ne posa pas de questions et se contenta de dire que Blue avait de la chance.

— Jusqu'à présent, ce n'était guère le cas ; il est temps que le vent tourne, répondit Ginny.

Charlene remercia encore une fois et les deux femmes prirent congé l'une de l'autre. Dans le taxi qui la reconduisait chez elle, le téléphone de Ginny sonna. C'était Becky.

— Tu es où ? demanda cette dernière d'une voix lasse.

Sur la côte Ouest, il était vingt et une heures. Une longue journée se terminait.

— Je rentre à la maison. J'avais rendez-vous avec quelqu'un pour signer quelques papiers.

— À quel sujet ? demanda Becky, mi-curieuse, mi-inquiète.

— C'est pour Blue. Je l'ai réinscrit au collège aujourd'hui. Il commence demain, annonça Ginny, triomphante.

— Je n'y comprends rien, Ginny... Qu'est-ce qu'il y a, au juste, entre ce gosse et toi ?

Blue était entré dans la vie de Ginny depuis deux semaines à peine, et voilà qu'il n'y en avait plus que pour lui.

— Écoute, Becky, tout le monde a le droit de s'en sortir. Selon le proverbe africain, il faut tout un village pour élever un enfant. Je fais partie de ce village pour Blue. Et à vrai dire, hormis une tante qui n'a pas de place pour l'héberger ni de temps à lui consacrer, ce garçon n'a que moi. Tu me connais, on peut compter sur moi pour contourner les obstacles.

— Mais à quoi bon ? Dans quelques semaines, tu seras à l'autre bout du monde dans un camp de réfugiés, en train de te faire tirer dessus par des rebelles, et ce gosse sera de nouveau à la rue. Tu t'engages toujours pour des causes perdues !

— Il faut bien que quelqu'un le fasse, lâcha Ginny, impassible. Mais tu as tort : parfois, on peut gagner.

Entre-temps, le taxi l'avait ramenée devant son immeuble. Elle raccrocha. Lorsqu'elle franchit le seuil de son appartement, Blue leva vers elle des yeux chargés de plusieurs années d'inquiétude.

— Alors ? Elle a signé ?

— Oui, et elle t'embrasse, répondit Ginny bien que Charlene n'eût rien dit de tel. Tu commences les cours demain.

Blue leva les yeux au ciel :

— Je suis vraiment obligé ?

Ginny lui lança un de ses regards implacables, et Blue soupira. Après quoi il alla se brosser les dents en traînant des pieds, comme le garçon de treize ans qu'il était encore...

Le lendemain matin, une certaine fébrilité régnait dans l'appartement tandis que Ginny préparait le petit déjeuner et que Blue s'habillait pour aller au collège. Elle lui donna les fournitures qu'elle avait achetées et l'accompagna jusqu'au coin de la rue. Il ne décrochait pas un mot, et elle se demanda s'il avait le trac. Puis elle lui souhaita une bonne journée et le regarda s'engouffrer dans le bâtiment. Naturellement, il risquait de ressortir dès qu'elle aurait le dos tourné. Mais elle avait fait tout son possible pour le mettre sur la bonne voie. Maintenant, tout dépendait de lui, un peu comme pour les enfants dont elle s'occupait dans les camps de réfugiés. Cette fois-ci, cependant, il y avait autre chose. Ce gamin la touchait. Depuis le soir où elle l'avait vu se cacher dans la cabane, il avait trouvé une place dans son cœur. Elle qui s'était juré trois ans auparavant de ne plus jamais aimer personne...

Mais Blue était comme elle. Lui aussi avait probablement formulé un tel vœu à la mort de sa mère. Ils étaient deux âmes en peine, deux âmes qui s'étaient trouvées et nageaient de concert pour atteindre le rivage. Quel sentiment étrange, que celui du lien qui les unissait ainsi...

Alors qu'elle était de retour chez elle et qu'elle allumait son ordinateur, elle songea qu'elle avait quelque peu négligé son travail ces derniers jours. Elle devrait passer au bureau le lendemain, la date de sa prochaine mission approchait... Et il lui restait à trouver un logement pour Blue.

5

Quand Ginny se présenta aux bureaux de SOS/ HR, on lui annonça que deux missions étaient susceptibles de lui convenir. La première dans le nord de l'Inde, où des jeunes filles étaient vendues comme esclaves par leurs propres pères. Un centre d'accueil abritait celles qui parvenaient à s'échapper. Elles avaient entre treize et quinze ans à peine, et nombre d'entre elles avaient subi de graves sévices. L'autre destination possible était l'Afghanistan, dans un camp de réfugiés où Ginny avait déjà eu l'occasion de travailler. Elle connaissait bien la région. C'était un poste dangereux, épuisant... mais incroyablement gratifiant. Ginny penchait pour cette seconde option, qui correspondait davantage à ses expériences précédentes. Le danger y était permanent, mais elle savait que SOS/ HR veillait à la sécurité de ses employés. Chaque mission était organisée avec une précision militaire, en partenariat avec la Croix-Rouge et différentes instances internationales. On ne la laissait pas seule : au contraire, elle serait d'autant mieux épaulée qu'il s'agissait d'un théâtre difficile. Généralement, les pays où elle se rendait respectaient le travail de SOS/HR et appréciaient son efficacité. Aussi était-il rare que Ginny se sente *persona non grata*. C'était d'ailleurs pour cette logistique irréprochable qu'elle avait choisi cette ONG-là.

— Quand quittes-tu la première ligne ? lui demanda Ellen Warberg, la directrice du siège new-yorkais de SOS/HR. La plupart de nos employés craquent au bout d'un an. Toi, tu as accepté toutes les missions les plus difficiles depuis plusieurs années.

— J'aime les défis, reconnut Ginny.

En quelques minutes, ce fut une affaire entendue : elle s'envolerait pour l'Afghanistan deux semaines plus tard. Il ne lui restait que peu de temps pour trouver un toit à son jeune protégé.

De retour chez elle, elle consulta de nouveau Internet, sélectionna trois hébergements possibles et passa des coups de fil pour prendre rendez-vous dans le courant de la semaine avec les responsables de chacun d'entre eux. Elle voulait finir ce qu'elle avait commencé avant de partir. Et si elle y parvenait, elle n'aurait pas perdu son temps à New York.

Contrairement à ce qu'avait prédit le principal adjoint, Blue n'était pas du tout en retard dans ses apprentissages scolaires. Deux soirs de suite, il fit ses devoirs en une heure à peine, sagement assis à la table du séjour. Il déclara que les cours et les profs étaient d'un ennui mortel, et Ginny craignit qu'il ne laisse tomber après son départ. Tant qu'elle était là, il ferait sans doute un effort.

Mais apparemment, rien de ce qu'ils faisaient en classe ne le motivait. Selon lui, il avait déjà tout entendu, et c'était peut-être vrai. Blue était intelligent et faisait preuve de maturité ; il s'intéressait à un grand nombre de choses pour son âge. Il semblait au fait des actualités dans le monde et se passionnait pour la musique. Or l'école publique n'était pas conçue pour s'adapter à chaque élève ; le nivellement s'effectuait par le bas au sein de la classe. Pourtant, ce collège-ci semblait plutôt réactif : dès la fin de la semaine, Blue fut soumis à des tests et réorienté vers un programme destiné aux enfants précoces.

Ginny ne lui avait pas encore parlé de l'Afghanistan. Elle voulait d'abord visiter les foyers pour adolescents qu'elle avait contactés. L'un des trois lui parut adapté. Il accueillait des jeunes de onze à vingt-trois ans, qui séjournaient là de façon occasionnelle ou régulière, pour une durée maximale de six mois. Certains retrouvaient leur famille après une période de médiation, mais ces cas restaient isolés : à l'instar de Blue, la plupart des résidents n'avaient plus vraiment de famille. Leurs parents étaient morts ou disparus, ou alors ils purgeaient des peines de prison. L'équipe du foyer encourageait les jeunes à rester scolarisés, mais elle les aidait aussi à trouver un emploi à temps partiel ou complet. Sur place, on pouvait consulter médecins et travailleurs sociaux. La maison fonctionnait selon le principe de la réduction des risques : ainsi, certains jeunes encore accro à la drogue étaient acceptés, mais ils devaient se plier à des règles, telles que diminuer leur consommation et ne pas se shooter au foyer. Le système avait fait ses preuves.

Une place était disponible pour Blue... pour peu qu'il fût d'accord. Personne ne le forcerait à rester. Il serait logé en dortoir avec cinq autres garçons de son âge. Le gîte et le couvert, ainsi que tous les services proposés, étaient gratuits, cofinancés par l'État et par des fondations privées. De plus, le foyer n'était situé qu'à quelques stations de métro du collège. Du sur-mesure pour Blue.

Ginny expliqua la situation de son jeune protégé à Ann Owen, la directrice, et lui raconta les circonstances de leur rencontre.

— Vous êtes son ange gardien, il a beaucoup de chance, commenta la dame.

— Peut-être, mais je vais devoir m'absenter pour trois mois. Il pourra revenir habiter chez moi à mon retour, mais j'aimerais vraiment qu'il puisse rester ici, en attendant.

— Cela ne dépend que de lui. Nos pensionnaires sont tous là de leur propre gré. Des tas d'autres gosses sont prêts à prendre la place s'il n'en veut pas.

Ginny hocha la tête. Pourvu que Blue accepte de venir là, plutôt que de retourner à la jungle de la rue... Sa tante ne croyait pas qu'il était capable de se soumettre à des règles et à une structure. Il était sans doute resté trop longtemps livré à lui-même. Cependant, c'était le cas de la plupart des pensionnaires du foyer de Houston Street.

Ce soir-là, Ginny raconta sa visite à Blue. Le moins que l'on puisse dire, c'est qu'il ne fut guère enthousiaste.

— Je ne veux pas y aller, déclara-t-il sur un ton sinistre.

— Tu ne vas tout de même pas retourner dans ta cabane. Au foyer, tu seras nourri, logé et blanchi. Tu pourras rencontrer des copains de ton âge. Si jamais tu tombes malade, ils te soigneront. Sois raisonnable, Blue. Ne te mets pas en danger dans la rue. C'est une vie pourrie, et tu le sais aussi bien que moi.

— Dans la rue, je fais ce que je veux.

— Ouais, comme mourir de froid et de faim, ou bien te faire racketter et égorger... Tu parles d'une liberté ! Si tu en as envie, tu pourras revenir ici à mon retour, fin avril. Mais il faut te trouver un autre endroit en attendant. Je t'en prie, avant de prendre une décision définitive, viens jeter un coup d'œil au foyer ! On ira tous les deux samedi !

Le samedi venu, on aurait dit que Blue portait des semelles de plomb tandis qu'ils gravissaient le perron ébréché du bâtiment principal du foyer. Houston Street disposait en effet de trois unités situées côte à côte : une pour « femmes » et deux pour « hommes », ainsi qu'ils désignaient leurs pensionnaires. Sans un mot, Blue balaya le hall du regard. Quelques jeunes lui adressèrent un geste de la main, auquel il ne répondit pas. Puis il réserva un visage de marbre à Julio Fernandez, le conseiller permanent, alors que ce dernier l'accueillait

85

chaleureusement. Blue l'écouta sans rien dire, les larmes aux yeux.

— Quand voudrais-tu t'installer ? lui demanda Julio.

— Moi ? Jamais, répondit Blue d'un ton froid et provocateur.

— C'est dommage. Nous avions justement un lit disponible pour toi, mais il ne le restera pas longtemps. Il y a beaucoup de demandes.

Le foyer comptait quatre cent quarante places et affichait complet la plupart du temps. Et tandis que Ginny s'informait des derniers détails auprès de Julio, Blue s'esquiva. Quelques instants plus tard, elle remarqua que quelqu'un avait mis un air de piano classique, ce qui lui sembla un peu ambitieux, vu le public du foyer. Elle n'y prêta pas attention, jusqu'au moment où Julio s'arrêta de parler, le regard fixé sur quelque chose derrière elle. Elle se retourna et resta bouche bée : ce n'était pas un CD, mais Blue lui-même qui jouait, avec sur le visage un air d'extrême concentration. Puis, avec une facilité déconcertante, il passa du classique au jazz sans lever les yeux, perdu dans son propre monde.

— Il est sacrément doué, souffla Julio.

Ginny, quant à elle, était sidérée. Blue ne lui avait jamais dit qu'il jouait du piano : elle savait seulement qu'il aimait la musique. Et là, voilà que ses doigts couraient sur le clavier avec maestria. Certains pensionnaires s'étaient tus pour l'écouter, plusieurs applaudirent lorsqu'il eut terminé. Blue referma le vieux piano droit, se leva et revint vers

Julio et Ginny, nullement conscient, apparemment, de ce que sa performance avait d'extraordinaire.

— Alors ? Quand est-ce que je dois emménager ici ? demanda-t-il à Ginny.

— Attends, Blue, intervint Julio. Personne ne t'y oblige. Les jeunes séjournent dans ce foyer de leur plein gré, jamais sur l'assignation des tribunaux.

— Tu t'en vas quand ? gémit Blue, le regard toujours fixé sur Ginny.

— Dans dix jours. Tu ferais sans doute bien d'emménager la semaine prochaine, pour que je voie un peu comment ça se passe, dit-elle d'un ton encourageant.

— C'est bon, je viendrai la semaine prochaine, déclara-t-il, morose.

Ginny et Blue réservèrent donc une place puis prirent congé de Julio.

— Tu ne m'avais pas dit que tu jouais du piano ! s'extasia-t-elle dès qu'ils furent sortis du bâtiment.

— Je bricole, c'est tout, répondit-il en haussant les épaules.

— Non, Blue, ce n'est pas du bricolage, ça. Tu as un vrai talent. Est-ce que tu sais lire la musique ?

— Plus ou moins. J'ai appris tout seul, je me débrouille.

— Eh bien, permets-moi de te dire que tu te « débrouilles » extrêmement bien. Si tu me passes l'expression, tu nous as tous laissés sur le cul !

Blue esquissa un sourire, pour la première fois depuis qu'ils avaient visité le foyer. Dans le métro qui les ramenait vers le nord de Manhattan, Ginny songea que le garçon avait vraiment plus d'un tour dans son sac...

— Où as-tu appris à jouer comme ça ? lui demanda-t-elle.

— Il y avait un piano au sous-sol de l'église... Celle où va ma tante. Le prêtre me laissait en jouer.

À ces mots, une expression étrange passa sur le visage de Blue, et ses traits se durcirent.

— Mais ce type était un connard, alors j'ai arrêté. Maintenant, je joue chaque fois que je croise un piano. Parfois, je vais dans un magasin de musique et je reste jusqu'à ce qu'ils me virent.

— C'est incroyable, ta tante ne m'a même pas dit que tu avais ce don.

— Elle n'est pas au courant.

— Ah bon ? Elle ne t'a jamais entendu jouer ?

— Le prêtre disait que j'aurais des problèmes si quelqu'un apprenait que je jouais là-bas...

Il marqua une pause.

— Ma mère, elle jouait de l'orgue et chantait dans la chorale. Parfois, je restais à côté d'elle pendant l'office, mais elle ne m'a jamais appris. Je me contentais de la regarder. Je suppose que je saurais aussi jouer de l'orgue, si l'occasion se présentait.

Il semblait avoir hérité d'un don hors du commun... Après le dîner, Ginny lui annonça :

— Je viens d'avoir une idée, Blue. Que dirais-tu de t'inscrire en section musique l'année prochaine ? Tu pourrais postuler à LaGuardia Arts : c'est un lycée public, la scolarité y est gratuite. Si tu veux, j'irai me renseigner.

— Pourquoi est-ce qu'ils m'accepteraient ? lâcha-t-il, désabusé.

— Parce que tu es surdoué, assura-t-elle.

— Hum... Tu sais, je fais aussi un peu de guitare...

Ginny éclata de rire.

— Et sinon, tu me caches beaucoup d'autres talents ?

— Non, c'est tout. Mais j'aimerais apprendre la batterie ! Je n'ai jamais essayé, ça me plairait bien.

Ginny sourit. Blue avait retrouvé son air de gamin insouciant. Un peu plus tard, il lui soumit la liste de ses petits travaux. Tout y était soigneusement consigné.

— Trop cool, merci ! dit-il quand elle le paya.

Pourtant, son anxiété ne tarda pas à le rattraper :

— C'est nul, que tu repartes si vite, Ginny... Et s'il t'arrivait quelque chose ?

Dans le monde du garçon, les séparations étaient définitives.

— Fais-moi confiance, Blue, il ne m'est jamais rien arrivé et je reviens toujours.

— Tu as intérêt...

Ce soir-là, avant qu'il aille se coucher, Ginny serra le jeune garçon dans ses bras.

Le moment de l'emménagement à Houston Street arriva trop vite à leur goût. La veille, Blue lui avait offert un bouquet de fleurs, acheté sur ses propres deniers. Et même si elle savait que le foyer représentait la meilleure solution, Ginny avait le cœur lourd.

Elle l'accompagna en taxi et l'aida à porter ses affaires : elle lui avait acheté quelques tee-shirts et des jeans, ainsi qu'un sac. Mais le plus beau restait à venir : lorsqu'il eut pris possession de son lit et de son placard, elle sortit de sa sacoche un ordinateur portable flambant neuf.

— Waouh ! s'écria Blue.

Il n'en croyait pas ses yeux.

— J'espère bien que tu m'enverras des mails, dit-elle d'un ton sérieux. Je veux m'assurer que tu vas bien.

Sans un mot, Blue acquiesça et se jeta à son cou. Il en avait les larmes aux yeux. C'était trop ! Personne ne lui avait jamais rien offert de si beau. Ginny voulut minimiser la portée de son geste : c'était juste un outil indispensable pour la poursuite de ses études... et puis, elle n'avait personne à gâter. En le quittant, elle lui promit de l'emmener dîner au restaurant le week-end suivant.

Cette semaine-là, ils communiquèrent régulièrement sur Skype, mais le temps leur sembla interminable. Ginny profita de ces quelques jours pour contacter le lycée artistique LaGuardia. En principe, les élèves devaient déposer leur dossier à l'automne pour l'année suivante. Les auditions avaient déjà eu lieu en novembre et décembre, et les lettres d'admission seraient envoyées courant janvier. Néanmoins, au vu de la situation particulière de Blue, ils étaient prêts à examiner sa candidature, surtout s'il était aussi doué que Ginny l'affirmait. Ils la tiendraient informée pendant son absence. De peur de le décevoir, Ginny n'en dit rien à son jeune protégé.

Le week-end suivant, Blue l'accueillit avec une mine lugubre : la crainte de la perdre lui gâchait le plaisir de la revoir. Le dimanche soir, sur le perron de Houston Street, elle le serra sur son cœur de toutes ses forces et jura de lui envoyer des mails aussi souvent que possible. Elle embarquait pour Kaboul le lendemain matin. Sur le terrain, l'accès à Internet était parfois difficile, mais elle essayait de se connecter chaque fois qu'elle était de passage dans une zone moins enclavée.

— On reste en contact, Blue, je te promets ! lança-t-elle d'un ton qu'elle espéra gai.

Alors qu'elle s'éloignait, elle vit deux grosses larmes couler sur les joues du garçon. De son côté, elle attendit de se retrouver dans le métro pour s'autoriser à pleurer... Elle aussi avait eu son lot de séparations tragiques.

Ginny était en train de boucler ses valises, la mort dans l'âme, lorsqu'elle reçut un coup de fil de sa sœur. Becky ne pouvait pas tomber plus mal.

— Dieu merci, tu as enfin mis ce gamin à la porte, commenta cette dernière. Je croyais que tu ne te débarrasserais jamais de lui. Une chance qu'il ne t'ait pas égorgée !

— N'importe quoi, Becky, vraiment ! Tu ne le connais même pas !

— C'est toi qui fais n'importe quoi, Ginny. Un de ces jours, quelqu'un finira par te trucider, mais ça ne surprendra que toi. Et tu n'es toujours pas venue voir papa, au bout du compte !

— Oui, mais je... La prochaine fois, c'est promis... Tu sais, ce n'est pas facile pour moi en ce moment.

— Parce que tu crois que c'est facile, de s'occuper de lui ? La prochaine fois, il sera peut-être trop tard : si ça se trouve, il ne te reconnaîtra pas. Parfois, il oublie même qui je suis, alors que je m'occupe de lui vingt-quatre heures par jour. Il s'est encore égaré cette semaine. Et hier, il est sorti tout nu après son bain. Je ne vais pas pouvoir continuer longtemps comme ça, Gin. Nous devons trouver une autre solution. Et c'est vraiment dur pour Alan et les enfants.

— C'est vrai, tu as raison, on en parlera à mon retour...

— Quand ? Dans trois mois ? Tu te moques de moi, là ! Papa décline de jour en jour. Crois-moi, tu ne serais pas fière s'il lui arrivait quelque chose avant que tu rentres.

— Je t'en prie, ne parle pas de malheur..., murmura Ginny, décomposée.

Elle qui avait déjà été la pire épouse et la pire mère qui soit en laissant Mark prendre le volant, cette nuit de décembre... Et voilà qu'elle était en train de se transformer en fille et sœur indigne !

— J'espère au moins que tu en as fini avec ce gamin des rues. Tu n'as pas besoin de problèmes supplémentaires...

— Écoute, Becky, je pars demain matin très tôt, il faut que je boucle mes valises. Embrasse Alan et les enfants, je vous donnerai de mes nouvelles aussi souvent que possible.

Ginny en avait assez entendu. La déprime dont Blue l'avait sortie par sa présence était en train de la rattraper. Ce garçon était si attachant... Pourvu qu'il tienne le coup, qu'il n'abandonne pas l'école et le foyer pendant son absence !

Rongée d'anxiété, elle dormit à peine. Le lendemain matin, Blue l'appela par Skype, juste avant qu'elle ne parte pour l'aéroport : il semblait aussi peiné qu'elle. Il la remercia encore une fois pour l'ordinateur portable et lui expliqua qu'il ne se séparait jamais de son trésor, pas plus à l'école qu'au foyer, de peur de se le faire dérober.

— Bon, je dois y aller, Blue. On se revoit bientôt.

— Tu as intérêt à revenir, Ginny...

Lentement, sa mine renfrognée laissa place à un sourire, un merveilleux sourire qui accompagnerait la jeune femme pendant toute la durée de sa mission. Sans un mot de plus, il se déconnecta... et disparut de l'écran.

6

Le vol de Ginny comportait une escale à Londres,
comme souvent lorsqu'elle partait en mission. Elle
détestait la démesure chaotique de l'aéroport de
Heathrow... même si elle avait fini par le connaître
comme sa poche. Elle avait beaucoup de temps
devant elle et joignit Blue sur Skype entre deux
cours, avant de somnoler quelques heures sur un
siège. Elle continua à dormir pendant la majeure
partie du vol pour Kaboul. De là, elle prit un troisième avion jusqu'à Jalalabad, dans l'est de l'Afghanistan, où un collaborateur de SOS/HR viendrait
la chercher en voiture pour traverser le massif de
l'Hindou Kouch. Leur destination se situait près
d'Assadâbâd, à la frontière pakistanaise, sur les
rives de la Kunar.

C'est un tout jeune homme qui accueillit Ginny
à l'aéroport de Jalalabad, muni d'un panneau SOS/
HR. Il lui serra la main, s'empara de l'un de ses
sacs... et lui tendit une burqa, qu'elle enfila aussitôt par-dessus ses vêtements. Ce n'était pas la

première fois qu'elle en portait une... Souvent, elle se couvrait la tête de façon à n'offenser personne dans le camp de réfugiés.

Ils montèrent à bord de la voiture et la longue route leur laissa le temps de faire plus amplement connaissance... Plus exactement, Phillip, le collègue de Ginny, monopolisa la conversation. Âgé de vingt ans à peine, il avait choisi ce camp de réfugiés comme sujet d'étude pour son master à l'université de Princeton. Il était bourré d'idéaux et de théories innovantes sur la reconstruction du pays, en mode « Il n'y a qu'à..., il faut qu'on... » Ginny l'écouta sans broncher : aucune des idées prétendument géniales de Phillip ne serait applicable avant de longues années... En attendant, les femmes étaient encore victimes d'abominations et la mortalité infantile enregistrait un taux record.

Médecins sans frontières, après cinq ans d'absence, avait récemment repris du service dans la région, de sorte qu'ils bénéficiaient d'une bonne assistance médicale. Une chance, car la population du camp avait augmenté de façon préoccupante. L'approvisionnement était limité, le confort spartiate et l'ambiance particulièrement stressante pour les humanitaires, qui tentaient tant bien que mal de subvenir aux besoins des déplacés dans ce territoire en guerre depuis plus de trente ans.

Alors qu'ils roulaient, ils entendirent des coups de feu. Phillip expliqua que des rebelles vivaient dans des grottes à proximité. Mais selon lui, les camps situés dans la ville de Jalalabad étaient encore pires. On dénombrait plus de quarante de ces bidonvilles. Après avoir fui les combats dans les campagnes, les gens s'y entassaient dans des cabanes en terre et tôle ondulée... tout cela pour mourir de dénutrition et de manque de soins.

Forte de son expérience sur le terrain, Ginny savait que sa mission consistait seulement à aider les populations locales à survivre de leur mieux. Il n'était pas question de leur enseigner un nouveau mode de vie, encore moins de changer le monde. Elle devait juste améliorer leur quotidien par tous les moyens disponibles. Elle était venue en aide à des femmes gravement blessées, à des enfants amputés ou souffrant de terribles maladies. Parfois, faute de médicaments, ils succombaient à des pathologies mineures. Beaucoup mouraient d'épuisement.

Lorsqu'elle posa le pied hors du camion, Ginny se sentit envahie d'un étonnant sentiment de soulagement. Dans un endroit comme celui-ci, seules comptaient la vie et la dignité humaines. Ici, elle se sentait utile... et le souvenir de ses propres coups durs s'évanouissait.

Malgré le froid, des enfants en haillons se promenaient dans le camp, pieds nus ou chaussés de sandales en plastique. Alors qu'elle avait beaucoup pensé à Blue au cours de son long voyage en avion, Ginny était maintenant entièrement tournée vers son travail. Le personnel de Médecins sans frontières ne passait que quand il pouvait. Le reste du temps, les humanitaires – infirmiers volontaires pour la plupart – paraient au plus pressé et se débrouillaient avec le matériel livré par hélicoptère une fois par mois. Ginny et Phillip semblaient être les seuls étrangers à ne pas être issus des professions de santé. Cela n'avait pas empêché la jeune femme d'assister par le passé des chirurgiens en pleine opération. Pour exercer ce métier, il fallait avoir l'estomac bien accroché... et le dos solide, car ils déchargeaient régulièrement des camions de matériel et de nourriture. Mais le plus important, c'était sans aucun doute d'être doté d'une volonté de fer, doublée d'un cœur d'or.

Deux petites filles se tenant par la main lui sourirent et la suivirent du regard alors qu'elle se dirigeait vers la tente principale pour signaler son arrivée. Il avait neigé, mais ses bottillons des surplus de l'armée en avaient vu d'autres.

Ginny se présenta auprès d'un Anglais taillé comme un ours et pourvu d'une énorme moustache rousse, assis à un bureau de fortune. L'homme se nommait Rupert Macintosh, c'était un ancien soldat de l'armée britannique. Lors du précédent séjour de Ginny, il n'officiait pas encore dans le camp ; cependant, la réputation de sa compétence le précédait et elle était ravie de le rencontrer.

— J'ai entendu parler de vous, annonça-t-il en lui serrant la main. On dit que vous êtes un peu risque-tout. Pas d'accidents ici, je vous préviens ! J'aime qu'on respecte les consignes de sécurité.

Sa mine sévère se mua en sourire :

— Je dois ajouter que votre tenue vous va à ravir, madame.

Ginny se mit à rire et ôta sa burqa. Son accoutrement en dessous – un gros bonnet de laine et une parka d'homme – n'était guère plus glamour. Elle n'en était pas moins aussi jolie que Rupert l'avait entendu dire.

Il lui décrivit ensuite les missions en cours. Un important groupe de femmes et d'enfants venait d'arriver. Et l'avant-veille, dans un village voisin, une femme avait été lapidée à mort... pour avoir été violée. En effet, c'est elle que l'on avait accusée de « tenter » le violeur ! Et ce dernier était rentré chez lui sans être inquiété ! Ce type d'aberrations n'était pas rare.

— Savez-vous monter à cheval ? demanda Rupert.

En arrivant, Ginny avait repéré des chevaux et des mulets dans un enclos : les humanitaires s'en servaient pour se déplacer dans les montagnes, là où il n'y avait pas de routes carrossables. Il lui était déjà arrivé de monter lors de missions dans des régions similaires.

— À peu près, répondit-elle.

— Bon, tant mieux. Cela devrait suffire.

Un peu plus tard, elle rejoignit les autres au mess. Un grand nombre de nationalités étaient représentées : issus de différentes organisations, Français, Britanniques, Italiens, Canadiens, Allemands et Américains unissaient leurs efforts. Ce mélange ajoutait de l'intérêt à la vie au camp, même si la langue commune était l'anglais. Pour sa part, Ginny parlait un peu le français.

La pitance du mess se révéla aussi maigre et aussi mauvaise que Ginny s'y attendait. De toute façon, après son long périple, elle piquait du nez dans son assiette.

— Allez donc vous reposer, lui conseilla Rupert en lui tapotant l'épaule.

Une Allemande lui montra leur tente. Ginny disposait d'un lit de camp dans une chambrée de six... tout comme Blue à Houston Street. Paradoxalement, c'étaient ces conditions-là qui semblaient lui convenir le mieux. Quand vous couchiez à la dure, vous pouviez tout relativiser ; vos soucis disparaissaient... Elle avait découvert ce phénomène dès sa première mission. Épuisée, elle se glissa dans son gros sac de couchage et ne se réveilla qu'au point du jour.

Tôt dans la matinée, elle se rendit dans la tente qui lui avait été assignée pour recueillir les témoignages des enfants avec l'aide d'un traducteur. Sa tâche était délicate : SOS/HR s'efforçait de faire respecter les droits humains sans jamais intervenir dans la politique locale. Depuis un an, les rebelles les laissaient tranquilles, mais cela pouvait changer à tout moment...

Au bout d'une semaine de ce travail relativement protégé – quoique fort éprouvant sur le plan émotionnel –, Ginny fut désignée pour participer à une expédition à dos de mulet dans la montagne. Il s'agissait de sillonner les sentiers à flanc de falaise, à la recherche de quiconque aurait besoin d'assistance médicale. Et au cas où il faudrait rapatrier des malades au camp, ils avaient pris deux montures supplémentaires. En effet, ils rentrèrent avec un garçon de six ans, accompagné de sa mère de dix-neuf ans à peine. Le garçon avait été gravement brûlé dans un incendie : il était défiguré, mais vivant. La toute jeune femme avait laissé ses cinq autres enfants à la garde de sa propre mère, et il lui avait fallu supplier son père et son mari de la laisser partir. Elle était presque entièrement voilée et n'ouvrit pas la bouche en chemin, si ce n'est pour répondre aux questions des humanitaires. À son arrivée, elle fut instantanément absorbée par le groupe des femmes du camp.

Ginny était sur le pont de l'aube jusqu'à minuit : fatiguée, mais sereine. Si le nombre de déplacés ne cessait d'augmenter, les humanitaires ne rencontraient pour le moment aucune hostilité dans la région.

Environ un mois plus tard, elle se rendit pour la première fois en camion à Assadâbâd, la capitale de la province du Kounar, en compagnie d'une Allemande, d'un Italien et d'une religieuse française. Rupert l'avait chargée d'envoyer plusieurs mails depuis le bureau local de la Croix-Rouge. Tandis qu'elle s'installait à un poste informatique avec la liste des communications à transmettre au siège de SOS/HR, les autres partirent explorer la ville. Une fois sa tâche accomplie, plutôt que d'aller les rejoindre pour le déjeuner, elle consulta ses mails personnels

Il y avait trois messages de sa sœur, l'alertant sur la santé de leur père et lui demandant d'appeler dès que possible. L'exaspération de Becky était palpable, son dernier mail remontait à quinze jours. Depuis, elle avait renoncé à la joindre, ayant finalement intégré, probablement, que Ginny ne disposait pas d'une connexion régulière à Internet.

Il y avait aussi un mail de Julio Fernandez, du foyer de Houston Street, et un de Blue, envoyé trois jours plus tôt. Elle ouvrit d'abord le message du garçon.

« Chère Ginny, je suis vraiment désolé... » Elle devina la suite. Blue disait que le personnel était très gentil mais qu'il détestait toutes leurs règles. Et puis il avait des problèmes avec les autres jeunes. Certains étaient plutôt sympas, mais un type de sa chambrée avait essayé de lui piquer son ordinateur. En plus, il y avait trop de bruit, il n'arrivait pas à dormir. On se serait cru dans un zoo ! Alors il lui écrivait pour lui annoncer qu'il partait. Il ne savait pas où il allait, mais elle ne devait pas s'inquiéter. « J'espère que tu vas bien et que tu vas bientôt rentrer, en un seul morceau », concluait-il.

Le collège aussi avait écrit à Ginny. Le directeur l'informait que Blue avait cessé de venir deux semaines après son départ en mission. Quant à Julio Fernandez, il lui assurait qu'ils avaient tenté de convaincre Blue de rester, mais en vain. Selon lui, le gamin n'avait pas réussi à se plier à la routine du foyer, il était trop habitué à faire ce qu'il voulait. Le cas se présentait souvent, mais le règlement intérieur n'était pas négociable.

Au final, la prédiction de Charlene s'était accomplie à la lettre : Blue s'était enfui du foyer et avait laissé tomber l'école... Ginny se sentit complètement désemparée. Et elle ne rentrait pas à New York avant six semaines !

Elle répondit d'abord à Blue :

« J'espère vraiment que tu vas bien, Blue. De mon côté, ne t'inquiète pas, je suis en parfaite santé et l'administration du camp fait tout pour assurer notre sécurité. Mais je t'en supplie, sois raisonnable : retourne au foyer et essaie de reprendre les cours. La porte de mon appartement te sera ouverte dès mon retour, fin avril. »

Ginny ne pouvait s'empêcher de s'inquiéter pour Blue. Le savoir livré à lui-même dans la rue, à la merci des délinquants, l'alarmait. Elle essaya néanmoins de se rassurer en se disant qu'il s'était bien passé d'elle pendant treize ans...

Elle remercia ensuite Julio Fernandez pour ses efforts et promit de le contacter dès son retour. Puis elle écrivit au directeur du collège pour lui demander de considérer le départ de Blue comme une absence, non comme un abandon. Pour le moment, elle ne pouvait que temporiser. Enfin, elle expliqua une fois de plus à Becky que le seul moyen de communication disponible au camp était le système radio de faible portée dont ils se servaient pour les urgences. Son message tenait en deux lignes, mais, aussitôt après l'avoir envoyé, elle composa le numéro du portable de sa sœur depuis le téléphone de la Croix-Rouge. Becky répondit à la deuxième sonnerie.

— Bon sang, mais d'où est-ce que tu appelles ?

— Tu le sais bien : d'Afghanistan. C'est la première fois que je suis en ville depuis mon arrivée, et probablement la dernière. Comment va papa ?

Ginny redoutait qu'il ne soit mort depuis le dernier message de sa sœur.

— Un peu mieux. Les médecins essaient un nouveau traitement et il a l'air moins confus, en tout cas le matin. Le soir, c'est toujours aussi difficile, mais on a commencé à lui donner quelque chose pour dormir la nuit. Pour le moment, on ne craint plus qu'il se sauve dans la rue.

— Ouf, tes messages m'ont fait tellement peur !

— Ginny, il est temps que tu arrêtes tes bêtises. Il faut que tu reviennes, je n'ai aucun moyen de te joindre si papa est au plus mal.

— Et le numéro de la Croix-Rouge que je t'ai donné en cas d'urgence ? Si tu les appelles, ils enverront quelqu'un pour me prévenir au camp. Et puis je serai de retour dans six semaines.

— Tu ne crois pas que tu as passé l'âge de faire ça ? Tu as trente-six ans ! On dirait une gamine qui veut s'engager dans le Corps de la Paix pour sauver le monde avant de commencer la fac. Ce n'est pas comme si tu n'avais aucune responsabilité, j'en ai assez de prendre toutes les décisions toute seule !

— Je viendrai à L.A. en avril.

— Voilà bientôt trois ans que tu me chantes la même chanson !

Ginny s'abstint de lui expliquer qu'elle se sentait bien plus utile là où elle se trouvait.

— Écoute, Becky, je suis en train de bloquer la ligne de la Croix-Rouge, il va falloir que je raccroche.

— Bon... Prends soin de toi, Gin. Et fais-moi plaisir : évite de te faire tirer dessus.

— Oh, tu sais, pour les armes à feu, tu cours plus de risque à L.A. que moi ici. Le camp est très calme.

— Tant mieux. Je t'aime fort.

— Moi aussi.

Et c'était vrai : Ginny aimait beaucoup sa sœur, bien qu'elles aient toujours mené des vies radicalement différentes. Et dire qu'autrefois, quand Ginny était mariée avec Mark, Becky trouvait leur mode de vie tape-à-l'œil et superficiel... À présent, elle la tenait pour folle. Ginny essayait de relativiser : cela faisait longtemps qu'elle était habituée au regard désapprobateur de sa sœur aînée.

Après avoir raccroché, Ginny imprima les mails adressés à Rupert et sortit rejoindre ses collègues, qui finissaient de déjeuner dans une gargote. La nourriture était épouvantable d'aspect et d'odeur. Ginny se félicita d'avoir sauté le repas.

— Vous avez commandé quoi ? Le menu spécial fièvre typhoïde ? lança-t-elle avec une grimace de dégoût.

Elle se contenta d'une tasse de thé, puis ils allèrent tous ensemble faire un tour de la ville avant de rentrer en camion.

Au camp, Ginny alla porter ses messages à Rupert et resta bavarder un moment avec lui. Bien que l'on fût déjà début mars, l'hiver continuait de sévir ; il gelait toutes les nuits. Ils évoquèrent les soucis qu'ils rencontraient au niveau des soins médicaux et Rupert annonça à Ginny qu'ils organiseraient prochainement une nouvelle expédition dans les montagnes. Il lui demanda si elle voulait bien l'accompagner, car il appréciait son contact avec la population locale. Elle était particulièrement douce et chaleureuse avec les enfants.

— Vous devriez en avoir quelques-uns vous-même, glissa-t-il avec un sourire enjôleur.

Rupert était marié, mais ne voyait pratiquement jamais sa femme, restée en Angleterre. Il passait pour un vrai Don Juan... Ginny répondit à son badinage par un regard vide d'expression.

— Je... En fait, j'avais un fils, bredouilla-t-elle. Il est mort en même temps que mon mari, dans un accident de voiture.

— Oh, je suis vraiment désolé, Ginny. Je ne savais pas, c'était vraiment stupide de ma part. Je vous prenais pour une de ces Américaines qui ne veulent pas entendre parler de mariage ni d'enfants avant la quarantaine. J'en croise tellement...

— Pas de problème, répondit-elle avec un sourire indulgent.

Il lui était toujours aussi difficile d'évoquer l'accident de Mark et Chris, et elle ne voulait pas que l'on s'apitoie sur son sort. D'un autre côté, elle ne pouvait pas faire comme s'ils n'avaient jamais existé. Ginny et Rupert s'aperçurent soudain qu'ils ne savaient pas grand-chose l'un de l'autre. Pour sa part, le régisseur du camp avait abandonné des études de médecine avant d'entrer dans l'armée, et il était marié à une femme qu'il ne tenait pas particulièrement à voir plus de quelques fois par an.

— J'en déduis que vous n'avez pas d'autres enfants ? demanda-t-il, compatissant.

— Non. C'est la disparition tragique de Mark et Chris qui m'a poussée à devenir humanitaire. Je préfère me rendre utile que pleurer dans mon coin.

— Vous êtes très courageuse, commenta Rupert.

À ces mots, les pensées de Ginny dérivèrent vers le soir de sa rencontre avec Blue, alors qu'elle contemplait les eaux noires de l'East River.

— Pas toujours, répondit-elle. J'ai des hauts et des bas, mais ici je n'ai pas le temps d'y penser.

Il acquiesça, avant de la raccompagner galamment au centre du camp. En dépit de l'accoutrement si peu seyant de Ginny, elle ne lui était pas indifférente. De son côté, elle se gardait bien d'encourager un homme marié : elle n'avait pas besoin de complications inutiles dans sa vie et n'était là que pour travailler.

Le camp reçut bientôt la visite d'une délégation du Haut Commissariat aux droits de l'homme de Genève, puis accueillit avec gratitude un groupe de médecins allemands. Ginny et quelques-uns de ses collègues partirent en expédition avec eux dans les montagnes. À cette occasion, ils pratiquèrent un accouchement et soignèrent plusieurs enfants, dont deux qu'ils ramenèrent au camp en compagnie de leur mère, afin de poursuivre leur traitement.

Deux semaines avant la date programmée de son départ, Ginny était une fois de plus en train de sillonner la montagne. Le ciel était dégagé, et jusque-là sa mission s'était déroulée sans problème particulier. Tout en gravissant à cheval une pente escarpée elle devisait gaiement avec Enzo, un jeune infirmier italien : ils évoquaient les bons petits plats qu'ils mangeraient, de retour chez eux. Ils négocièrent un virage périlleux sur le sentier et passèrent devant l'entrée d'une grotte où, disait-on, des rebelles se cachaient. Ginny était en train de rire à une plaisanterie d'Enzo lorsqu'un coup de feu retentit et que son cheval se cabra.

Ginny se cramponna à sa crinière, priant pour qu'il ne trébuche pas dans la ravine. Elle parvint à le calmer et à le ramener contre la paroi de la falaise, mais l'animal était ombrageux. Enzo tenta de l'attraper par la bride. Deuxième coup de feu, encore plus proche. Ginny se tourna vers le chef du groupe. Celui-ci leur faisait signe de rebrousser chemin. Au même instant, Enzo s'effondra sur l'encolure de son cheval, un trou béant dans la nuque. Il était mort !

L'un des Allemands s'empara des rênes de son cheval et emmena toute la troupe au grand galop jusqu'au fond de la vallée. On n'entendit plus d'autre déflagration... Au camp, l'un des hommes descendit de selle le corps sans vie de l'infirmier, lequel n'était miraculeusement pas tombé en cours de route. Tout le monde était sous le choc. Enzo était la première victime qu'ils avaient à déplorer en près d'un an. Quelle tragédie...

Ce soir-là, ils se réunirent sous la tente de Rupert pour discuter des mesures de sécurité à mettre en place. Les membres de l'expédition n'avaient pas eu l'impression d'être poursuivis sur le chemin du retour : il s'agissait probablement d'une balle perdue. Hélas, cette balle avait trouvé Enzo, dont le corps gisait maintenant dans une bâche en guise de linceul, en attendant d'être rapatrié par la Croix-Rouge.

Rupert leur recommanda la plus grande prudence et assigna aux hommes de l'équipe des tours de garde pour la nuit. Les autorités locales avaient été prévenues par radio, la police devait passer prendre leur déposition. Dans le camp, la tension était palpable, mais Ginny et les autres s'efforçaient de rassurer femmes et enfants. Tout avait changé : le climat de confiance avait cédé la place à l'inquiétude.

Peu après, Rupert convoqua Ginny sous sa tente. Il s'assit à son bureau improvisé. L'air sombre, il se mit à la tutoyer :

— Je te renvoie chez toi la semaine prochaine. On vient de me signaler qu'il y avait un tireur embusqué à moins de dix kilomètres la nuit dernière. Ça sent le roussi... Je serai plus tranquille quand au moins une partie des filles seront à l'abri.

Ginny savait que le collaborateur qui prenait sa suite était un homme.

— Tu es ici depuis deux mois et demi, tu es allée presque jusqu'au bout de ta mission, argua-t-il. Ton aide et ta présence nous ont été précieuses, mais tu es restée assez longtemps.

— Je souhaite rester à mon poste, répondit Ginny d'un ton calme. Nous n'irons plus en montagne, voilà tout.

Les rebelles et les milices de l'opposition s'éloignaient rarement de leurs grottes.

— Je sais qui tu es, Ginny. Je sais que tu n'es pas du genre à abandonner une mission. Seulement, j'ai pris ma décision : il est temps que tu rentres, rétorqua Rupert d'un ton qui ne souffrait pas la contradiction.

Inutile de discuter : pour le bon fonctionnement du camp, chacun devait se plier à une discipline quasi militaire. On voyait bien que Rupert était un ancien soldat. Ginny le remercia et sortit. De retour à sa tente, elle annonça la nouvelle à ses cinq camarades de chambrée, lesquelles ne cachèrent pas leur soulagement. Elles aussi partaient.

La mort d'Enzo jeta une ombre sur le camp pendant plusieurs jours. On ne déplora pas de nouvel accident, mais Rupert restait catégorique concernant le départ des femmes.

Le jour de la relève, il les réunit sous sa tente pour leur adresser quelques dernières paroles.

— Vous partez demain, déclara-t-il d'un ton calme. Selon la rumeur, la situation ici pourrait bien être explosive. À vrai dire, le camp va déménager sous peu.

Il les remercia pour la qualité de leur travail, puis retint Ginny quand les autres furent sorties.

— J'ai beaucoup apprécié de collaborer avec toi, lui dit-il. On m'avait chanté tes louanges, mais la réalité dépasse ta réputation. Tu as du cran, et tu fais du très bon boulot. J'espère bien te revoir un jour, dans un endroit aussi fou. Nous sommes de la même trempe : tu es une guerrière.

Ginny fut touchée par cet éloge venant de la part d'un homme lui-même fort compétent. Il est vrai qu'elle n'avait jamais perdu son sang-froid, pas même quand Enzo avait été tué par le sniper. Avec l'aide de son collègue allemand, elle avait réussi à maintenir en selle le corps inanimé du jeune homme et à le ramener au camp, au mépris du danger.

— Tu vas rester un peu à New York ? s'enquit Rupert.

— Je ne m'y éternise jamais. Comme toi, je ne me sens bien que sur le terrain ; je revis dans ces endroits bizarres. New York m'ennuie à mourir.

— Il faut reconnaître que les tueurs embusqués dans les grottes sont rares, là-bas...

Ginny fit ses adieux aux femmes et aux enfants dont elle s'était occupée, puis toute l'équipe partagea un dîner calme mais convivial. Le lendemain, dans le minibus, les six femmes bavardèrent presque gaiement jusqu'à Assadâbâd. Leur camaraderie sans fard manquerait à Ginny... Comme elle, les deux Allemandes et la jeune Anglaise auraient préféré mener leur mission à terme. Et même si les deux jeunes Françaises originaires de Lyon, au camp depuis six mois déjà, avaient hâte de rentrer chez elles, toutes auraient bien du mal à se réadapter à la vie normale.

En atterrissant à Kaboul, cependant, Ginny se remit à penser à New York, à y penser de plus en plus intensément. Elle devait retrouver Blue ! Elle espérait bien qu'il viendrait frapper à sa porte. Sinon, elle remuerait ciel et terre pour découvrir sa cachette... Un étrange sentiment de panique s'empara d'elle : et si elle ne devait jamais le revoir ? Non, elle préférait ne pas y penser. Elle retrouverait sa trace, à n'importe quel prix.

En attendant son prochain vol, elle tenta de l'appeler sur Skype, puis lui envoya un e-mail. Elle réessaya depuis Londres, toujours en vain. Elle se demandait s'il était retourné à sa cabane. Pour se rassurer, elle songea que les températures avaient dû remonter en ce début avril.

Dans l'avion qui la ramenait à New York, elle s'endormit en pensant à Blue. À son réveil, le visage du garçon lui apparaissait toujours aussi clairement, avec son regard tantôt canaille, tantôt sérieux. L'atterrissage lui parut durer une éternité. Arrivée à son appartement, elle déposa ses bagages, puis ressortit et marcha d'un pas vif jusqu'à la cabane. Aucune trace de Blue. La municipalité avait repris possession du local et avait fait poser un cadenas sur la porte.

De quel côté devait-elle se tourner, à présent ?

Le lendemain matin très tôt, elle se rendit à Houston Street. Julio Fernandez lui expliqua que Blue ne s'était jamais vraiment adapté et qu'il était parti sans laisser d'adresse. L'éducateur lui indiqua plusieurs endroits fréquentés par les jeunes SDF et lui souhaita bonne chance.

Ginny téléphona ensuite à Charlene. Celle-ci n'en savait pas davantage. Elle n'avait eu aucune nouvelle de son neveu depuis le départ de Ginny, et voilà maintenant sept mois qu'elle ne lui avait plus parlé. « Vous voyez : je vous avais bien dit qu'il ne resterait pas », commenta-t-elle.

Les jours suivants, Ginny écuma les différents endroits indiqués par Julio, mais finit par abandonner au bout d'une semaine. Il ne lui restait plus qu'à attendre chez elle... À tout hasard, elle publia un message sur les sites destinés aux enfants sans abri.

C'est le cœur gros qu'elle alla rendre son rapport au bureau de SOS/HR. Ses collègues, en revanche, étaient soulagés de la revoir saine et sauve. Sa sœur avait elle aussi entendu parler de l'attaque du sniper, elle savait que Ginny était rentrée avec deux semaines d'avance et la pressait maintenant de venir à L.A. Cependant, elle refusait de lui passer leur père au téléphone, dont l'état de confusion était trop grand. De son côté, tant qu'elle n'avait pas retrouvé Blue, Ginny ne voulait à aucun prix quitter New York.

Dix jours après être rentrée, la jeune femme traînait comme une âme en peine dans son appartement, quand elle reçut un coup de fil du bureau. SOS/HR la sollicitait pour présenter devant le Sénat un rapport sur la condition des femmes en Afghanistan. En temps normal, elle aurait été enthousiasmée par un tel projet. Mais après des jours passés à chercher Blue et à prier pour qu'il ne lui soit rien arrivé, elle n'était pas d'humeur à parler en public.

Elle passa le week-end à préparer son discours. La situation des femmes afghanes n'avait guère évolué ces dernières années, en dépit des nombreuses organisations de défense des droits humains qui œuvraient sur place. Les anciennes lois tribales sévissaient encore et la peine capitale s'appliquait souvent sans procès. Lors de sa précédente mission, deux femmes des villages voisins avaient été lapidées à mort, alors que dans les deux cas elles étaient victimes et non coupables. Ces violences étaient insoutenables, mais il faudrait des années et des années pour faire évoluer une société marquée par le poids de la tradition.

Sur trois intervenants, Ginny serait la dernière à s'exprimer ce lundi-là, lors de l'audience d'un sous-comité du Sénat dédié aux droits de l'homme.

Elle se rendit à la gare de Penn Station, vêtue d'un tailleur bleu marine et chaussée d'escarpins : un style fort peu habituel pour elle... Son billet à bord de l'Acela était réservé, elle arriverait à Washington peu après midi. Elle s'apprêtait à monter dans le train, son porte-documents sous le bras, lorsqu'une bande de gamins passa près d'elle en courant. Ils sautèrent du quai et traversèrent les voies pour gagner un renfoncement dans le tunnel. Il y avait là un petit campement, où d'autres jeunes se pelotonnaient dans leur sac de couchage. Ils risquaient à tout moment d'être fauchés par un train, mais ils étaient malins et échappaient à la vigilance des agents de sécurité.

C'est alors que Ginny reconnut parmi eux une silhouette familière. Il portait la vieille parka qu'elle lui avait donnée, le soir de leur rencontre. Après s'être assuré d'un coup d'œil qu'aucun train ne passait, elle sauta à son tour sur les voies, manqua de justesse de tomber, puis l'appela tout en se lançant à sa poursuite.

Il se retourna et la fixa, bouche bée. On aurait dit qu'il venait de voir un fantôme. Visiblement, il ne s'attendait pas à ce qu'elle revienne un jour... et la voilà qui criait son nom, traversant la voie ferrée en chaussures à talons. Il resta d'abord cloué sur place, puis il avança lentement à sa rencontre. Son regard était impénétrable.

— Je te cherche partout depuis deux semaines, dit-elle, hors d'haleine. Où étais-tu passé ?

— Là, répondit-il simplement, désignant le quai où les autres étaient rassemblés.

Ils formaient une petite communauté d'enfants perdus.

— Pourquoi as-tu quitté Houston Street ? Et l'école ?

— J'aimais pas habiter là-bas. Et l'école, c'est débile.

C'est toi, qui es débile, songea-t-elle. *Si tu crois que tu pourras t'en sortir dans la vie alors que tu n'as même pas fini le collège !* Mais elle n'avait pas besoin de le lui dire. Il savait très bien ce qu'elle en pensait.

— Et pourquoi n'as-tu pas répondu à mes messages pour me dire où tu étais ? Tu as encore l'ordinateur ?

— Oui, mais je pensais que tu serais fâchée.

— Je le suis, mais ça ne veut pas dire que tu ne comptes pas pour moi.

On annonça le départ imminent de l'Acela.

— Il faut que j'y aille. Je pars pour Washington, mais je rentre ce soir. Tard. Viens chez moi demain, on pourra parler.

— Je retournerai jamais là-bas, dit-il d'un ton borné.

Parlait-il de l'école ou du foyer ? Elle n'avait pas le temps de lui poser la question. Elle le serra dans ses bras, et il répondit à son étreinte.

— Viens demain, Blue. Je n'ai pas l'intention de te gronder.

Il acquiesça tandis qu'elle traversait les rails en sens inverse. De retour sur le quai, elle lui adressa un signe de la main et sauta dans le train juste avant que les portières ne se referment. Alors que l'Acela sortait de la gare, Ginny resta debout sur la plateforme pour le regarder par la fenêtre. Il parlait et riait avec ses copains, à l'aise dans ce style de vie si étrange pour elle. Voilà près de trois mois qu'il avait retrouvé le monde de la rue... À son âge, cela représentait un temps considérable. Viendrait-il la voir le lendemain ? Peut-être avait-il décidé de couper les ponts.

Le train prit de la vitesse. Ginny jeta un coup d'œil à sa tenue, laquelle avait souffert de sa course échevelée : sa veste était déboutonnée et elle avait égratigné un de ses escarpins. Elle reprit contenance, gagna sa place et tenta de se calmer en relisant son discours. Mais son cœur battait encore la chamade. Elle l'avait retrouvé !

7

Le sénateur qui avait invité Ginny à s'exprimer devant le sous-comité aux droits de l'homme lui avait réservé un VTC. Comme convenu, le chauffeur vint la chercher à Union Station et elle eut tout juste le temps d'avaler un sandwich en chemin. Arrivée au Sénat, elle fut guidée jusqu'à sa place dans le public pour écouter les deux orateurs qui la précédaient. Leurs discours sur les atrocités commises contre les femmes en Afrique et au Proche-Orient la bouleversèrent. Puis le président de séance annonça une pause. Ginny en profita pour se recoiffer et mettre du rouge à lèvres.

Enfin, l'huissier la mena au micro et elle prit la parole. Hélas, rien de ce qu'elle pouvait dire sur la condition féminine en Afghanistan n'était nouveau. Son intervention n'en fut pas moins poignante, et les exemples qu'elle donna glacèrent le sang de l'assistance. Son discours dura quarante-cinq minutes, au terme desquelles un silence religieux envahit la salle, le temps que chacun se remette de ce qu'il venait d'entendre.

Alors qu'elle remerciait le public, Ginny avait la satisfaction du travail bien fait. L'espace d'un instant, elle se remémora ses années de télévision, ce métier de reporter qu'elle avait exercé avec passion. Depuis trois ans, elle occultait cette facette de sa personnalité, elle était devenue une autre. Pourtant, en descendant de l'estrade pour regagner sa place dans le public, elle se sentait bien. Dommage que Blue ne fût pas là... Observer le Sénat en action, comprendre en direct comment fonctionnait cette assemblée, voilà qui aurait été pour lui une expérience enrichissante. Pour Ginny aussi, c'était impressionnant. Elle n'avait pas tous les jours la chance de s'adresser à un tel auditoire.

Le président du comité la remercia, puis il prononça quelques mots de conclusion avant de lever la séance. Plusieurs journalistes prirent Ginny en photo à la sortie. Devant le bâtiment, le VTC l'attendait pour la reconduire à la gare.

Elle s'endormit dans le train du retour. Arrivée chez elle, vers vingt-deux heures, elle prit un bain et se mit au lit en se remémorant les événements de cette journée haute en couleur. Dire qu'elle avait retrouvé Blue ! Le garçon viendrait-il le lendemain ? Et s'il ne venait pas, devait-elle retourner à la gare pour lui parler, ou devait-elle le laisser tranquille ? Après tout, elle ne pouvait pas le forcer à changer de vie.

Au réveil, elle se prépara un café et consulta la presse en ligne. Elle était en train de lire un article élogieux du *New York Times* sur son discours de la veille lorsqu'on sonna à l'interphone. Quelle ne fut pas sa joie en entendant la voix de Blue ! Elle lui ouvrit la porte de l'immeuble et le vit sortir de l'ascenseur quelques instants plus tard. Il semblait avoir grandi et mûri depuis trois mois. La vie dans la rue lui avait-elle encore arraché une part d'enfance ? Comme il hésitait sur le seuil, elle lui fit signe d'entrer. Il s'assit sur le canapé et se débarrassa de sa parka, mal à l'aise.

— Est-ce que tu as mangé ?

Il acquiesça, le regard ailleurs. Ginny doutait que ce fût vrai, mais elle ne voulait pas insister.

— Alors, comment vas-tu ? demanda-t-elle, pleine de sollicitude.

Elle remarqua qu'il avait apporté son cartable. C'est vrai qu'il n'avait nulle part où cacher ses affaires... Il devait les emmener partout avec lui.

— Ça va, répondit-il d'un ton calme. J'ai entendu parler de cet humanitaire qui s'est fait descendre en Afghanistan. Je suis content que ce ne soit pas toi.

— J'étais avec lui quand c'est arrivé. C'est atroce. Enzo était un jeune homme adorable. Ils ont rapatrié certains d'entre nous plus tôt que prévu à cause de cet accident. Je suis rentrée depuis deux semaines et je n'ai pas arrêté de te chercher.

Les yeux de Blue croisèrent brièvement ceux de Ginny, avant de se détourner à nouveau.

— Je vais bien, répéta-t-il. Franchement, je n'avais rien à faire dans ce foyer. Les gars me prenaient la tête.

— J'aurais préféré que tu restes... Et l'école, Blue ? Que vas-tu faire maintenant ?

— Je sais pas. C'était nul. Même les profs se fichaient bien qu'on fasse nos devoirs ou pas. Je n'avais pas envie de rester assis là, à perdre mon temps toute la journée.

— Tu peux avoir cette impression, oui, mais figure-toi que c'est important pour ton avenir.

Blue émit une espèce de grognement. Il savait qu'elle avait raison.

— Je veux revenir avec toi, murmura-t-il en levant les yeux, juste assez fort pour qu'elle entende.

— Tu veux habiter ici ? demanda-t-elle, stupéfaite.

Il hocha la tête.

— Jusqu'ici, j'ai toujours fait ce que je voulais... De toute façon, ma vie n'intéresse personne.

— Si, moi, ça m'intéresse, répliqua Ginny.

— Je croyais que tu ne reviendrais pas.

— Je t'avais dit que je reviendrais.

Il haussa les épaules.

— Je ne te croyais pas. Les gens disent tout le temps qu'ils vont revenir...

— Et comment as-tu l'intention de t'occuper, si tu ne vas pas au collège ? Tu ne peux pas rester à regarder la télé toute la journée et à jouer sur ton ordi.

— Je sais pas...

— Si tu habites ici, Blue, il faut que tu ailles au collège et que tu t'accroches. Je repars dans un mois, et je veux que tu retournes au foyer pendant mon absence. Ce sont mes conditions si tu veux vivre ici. Pas question que tu restes vautré sur mon canapé parce que tu es trop paresseux pour aller en cours.

— Je déteste ça, le foyer et l'école. Mais si tu me forces... j'irai.

— Oui, mais je ne veux pas avoir à te courir après à chaque fois que je reviens de mission. C'est à toi de tenir ta promesse. À toi de comprendre tout ce que tu as à y gagner ! Si on fait équipe, toi et moi, il va falloir que tu arrêtes de traîner les rues quand je ne suis pas là. En plus, je serais malade d'inquiétude. Je me suis déjà rongé les sangs cette fois-ci. J'ai besoin de savoir que tu tiendras parole.

Il acquiesça, la mine sérieuse. Il avait l'air de comprendre à quel point c'était important pour elle.

— Bon. Qu'est-ce que tu dis de tout ça, Blue ?

— J'en dis que je déteste l'école et Houston Street. Mais je vais y aller pour te faire plaisir, parce que tu es quelqu'un de bien et que je ne veux pas te causer de soucis. Alors... je peux revenir vivre ici ?

Il levait vers elle un regard si plein d'espoir qu'elle en eut les larmes aux yeux. Il n'avait qu'elle au monde.

— Oui, tu peux revenir. Mais pas question que tu continues à dormir sur le canapé.

— Pas de problème. Chez ma tante, je dormais par terre, et dans la baignoire quand son copain était là. Quel connard, ce type, quand j'y pense... Mais oui, pas de problème, je peux dormir par terre.

— Ce n'est pas à ça que je pensais, Blue.

Elle lui fit signe de le suivre et l'entraîna dans la seconde chambre à coucher, toujours aussi pleine de cartons depuis son emménagement.

— J'ai du boulot pour toi, annonça-t-elle. Au tarif en vigueur, bien sûr. Nous allons débarrasser cette pièce, déballer les cartons et t'aménager une chambre digne de ce nom. Est-ce que ça te convient ?

Il la regarda, incrédule. Ses yeux brillaient encore plus que le jour de Noël !

— Je n'ai jamais eu ma chambre à moi, murmura-t-il, émerveillé. Même pas avec maman. Je dormais dans son lit. C'est incroyable... Quand est-ce qu'on pourra s'y mettre ?!

— Voyons un peu..., dit-elle en se tapotant les lèvres de l'index. J'ai lu le journal. J'ai pris ma douche. Bon, il faudra que je sorte faire des courses. Mais que dis-tu de commencer ce matin ?

Il se jeta à son cou, laissant échapper un cri de joie.

Elle lui demanda où étaient ses affaires et il lui expliqua qu'il avait confié sa valise à roulettes et son sac de couchage à un copain de la gare. Il pourrait les récupérer plus tard.

— Tu sais quoi ? Je t'invite au McDo pour fêter ça. C'est que je n'ai pas pris mon petit déjeuner, moi... Ensuite, nous irons chercher tes affaires, puis nous nous mettrons au travail. Et demain, nous irons t'acheter un lit, une commode et tout ce dont tu as besoin.

Ginny avait en tête une boutique du centre-ville qui vendait des meubles d'assez bonne qualité, à des prix raisonnables. Elle avait aussi l'intention de faire un tour chez IKEA. Elle en profiterait pour rafraîchir sa déco intérieure. Elle commençait à se lasser de son mobilier hétéroclite, acheté pour une bouchée de pain trois ans plus tôt. Elle avait envie de rendre son appartement plus chaleureux, d'en faire un vrai foyer.

Par cette douce matinée d'avril, ils se rendirent à leur fast-food préféré. Tous deux se sentaient bien, le cœur léger, l'esprit libre de se mettre à espérer. Elle l'avait retrouvé et lui allait enfin avoir sa propre chambre !

Alors qu'ils étaient attablés devant des Egg McMuffins, Ginny raconta à Blue son séjour en Afghanistan, puis elle lui parla à nouveau du lycée arts et musique.

— Est-ce que tu aimerais aller y jeter un coup d'œil ? Les dossiers pour l'année prochaine étaient à rendre en septembre, mais j'ai pu parler à l'administration avant de partir. Si tu es sûr de vouloir tenter ta chance, ils sont prêts à recevoir ta candidature maintenant, compte tenu de ta situation. Mais attention, ce serait une chance incroyable ! Si tu es pris, il faut que tu saches que ce sera beaucoup de boulot. Tu ne pourras pas sécher les cours, ni fuguer sous prétexte que tu t'ennuies. En tout cas, moi, je suis prête à engager ma parole et à te recommander auprès d'eux.

Ginny avait dit cela sur un ton solennel, et Blue sembla impressionné.

— Si je t'encourage à faire cela, c'est parce que je pense que l'école te motivera un peu plus si tu étudies quelque chose qui te passionne.

— Jouer du piano tous les jours, c'est sûr que ça va me plaire, renchérit Blue en attaquant son troisième muffin.

À croire qu'il n'avait rien mangé depuis le départ de Ginny...

Après le petit déjeuner, ils prirent le métro jusqu'à Penn Station. Elle descendit l'escalier à sa suite, puis l'attendit sur le quai pendant qu'il rejoignait le renfoncement où ses camarades d'infortune se réfugiaient la nuit. Un garçon de seize ans environ était là. Ginny ne quitta pas Blue du regard tandis qu'il récupérait ses affaires et échangeait quelques mots avec son compagnon. Selon Blue, il n'y avait pas de filles dans le groupe. Ils avaient passé la plus grande partie de l'hiver à cet endroit : personne ne les dérangeait et ils étaient relativement à l'abri des intempéries. Il revint quelques minutes plus tard, valise à la main et sac de couchage sous le bras.

— Il commence à s'user, remarqua Ginny. Si tu veux, je t'en achèterai un neuf.

À ces mots, Blue repartit en courant pour l'offrir à son ami, qui l'accepta avec gratitude. Ginny fut touchée par la sollicitude du jeune garçon.

De retour à l'appartement, ils s'attaquèrent à la chambre. Ginny alluma le plafonnier et entreprit de lire ce qui était écrit sur les cartons. Une opération risquée, car leur contenu était doté d'une forte charge sentimentale. Certains étaient marqués « photos bébé », d'autres « mariage », d'autres encore ne portaient aucune inscription. C'est par ces derniers que Ginny commença et elle eut un coup au cœur en les ouvrant. Il y avait là des photos d'elle avec Chris et Mark dans des cadres en argent, plusieurs bibelots de leur salon, dont certains étaient des cadeaux de mariage. Elle trouva également des coussins en fourrure et un magnifique plaid en cachemire. Et puis ce superbe nécessaire de coiffure en écaille de tortue, que Mark lui avait offert pour son anniversaire. Une autre boîte était pleine des nounours et des jouets favoris de Chris. Ginny sursauta et la referma aussitôt. C'était trop douloureux...

Dans l'entrée, un placard était resté vide : elle décida d'y ranger tout ce dont elle ne se servirait pas ou qui évoquait trop de souvenirs, comme les albums-photo. Pour le reste, la jeune femme fut heureuse de retrouver la plupart des objets que Becky avait empaquetés.

Ginny et Blue finirent leur inventaire en début d'après-midi. Entre autres choses, Ginny avait besoin d'une bibliothèque pour ranger ses livres. Elle avait sorti plusieurs photos encadrées et les avait disposées dans le salon : elle se sentait prête à vivre avec. La présence enjouée de Blue lui permettait de vaincre la tristesse qu'elle éprouvait en regardant ces clichés. Une à une, le garçon prit les photos dans ses mains et scruta les visages de Mark et Chris, comme s'il cherchait à les connaître.

— Il était super mignon, dit-il en reposant précautionneusement le portrait du bambin.

— Oui, très mignon...

Ginny se détourna, et les larmes roulèrent le long de ses joues. Blue lui posa une main sur l'épaule.

— Merci, Blue. Ça va aller. Mais ils me manquent tellement... C'est pour ça que je passe mon temps à courir dans des endroits impossibles comme l'Afghanistan et l'Afrique. Là-bas, je n'ai pas le temps de penser.

Blue acquiesça comme s'il comprenait. Lui aussi était toujours en fuite. Mais tous deux savaient que l'on ne peut jamais complètement échapper à la douleur. Elle vous guette en permanence. Un son, une odeur, une image... et les souvenirs affluent, violents.

Ginny consulta sa montre. Ils avaient encore le temps d'aller faire un tour en ville. Elle avait pris les dimensions de la chambre et se faisait une idée assez précise de ce dont ils avaient besoin : il y avait assez de place pour un lit simple, un bureau, une commode et un fauteuil. Sans oublier la petite bibliothèque pour le salon et quelques extras qui se déclareraient probablement selon l'inspiration du moment. Le magasin auquel elle pensait se situait dans le Lower East Side.

— Mais... comment est-ce qu'on va rapporter les meubles ? s'inquiéta Blue.

— Je vais te confier un secret : ils livrent à domicile ! souffla-t-elle avant d'éclater de rire.

Elle le taquinait, mais c'était de bonne guerre... Le déballage des cartons avait été éprouvant pour elle et Blue avait été troublé de la voir pleurer. Au moins, là, elle semblait heureuse d'avoir retrouvé certaines de ses affaires.

Dans le magasin, Ginny ne perdit pas de temps. Elle trouva une bibliothèque qui lui plaisait pour le salon, dans un style un peu ancien, ainsi qu'un bureau pour remplacer l'épave achetée aux puces trois ans plus tôt. Sa table à manger était encore en bon état, en revanche elle acheta quatre chaises assorties et un fauteuil club pour accompagner le relax en cuir qu'elle avait déjà. La pièce de résistance était un canapé en flanelle anthracite, bradé à l'occasion d'une vente privée. Elle n'avait pas acheté autant de choses depuis l'aménagement de leur maison de Beverly Hills... même si on ne pouvait pas comparer. Ensuite, ils se mirent en devoir de chercher des meubles pour Blue. Le garçon resta d'abord figé sur place.

— Qu'est-ce que tu aimes ? De l'ancien, du moderne ? Blanc ? En bois ? suggéra Ginny, touchée de le voir si intimidé.

Blue se dirigea alors vers un ensemble bleu marine, qui comprenait un bureau, une commode et une tête de lit. Puis son visage s'éclaira à la vue d'un fauteuil en cuir rouge. Ginny choisit deux ou trois lampes, ainsi qu'une petite descente de lit assortie au fauteuil. Le tout avait un côté sobre et masculin, sans faire trop adulte. Parfait pour un garçon de son âge !

Elle pourrait accrocher aux murs les posters et les gravures de son ancienne cuisine, et les coussins en fourrure que Becky avait sauvés du naufrage seraient du plus bel effet sur le nouveau canapé. Son salon déclinerait désormais un joli camaïeu de beiges et de gris. Quant à sa propre chambre, elle décida de ne pas y toucher, puisque tous les meubles étaient en bon état, et uniformément blancs. Elle se contenterait d'y ajouter la peau d'agneau de Mongolie qu'elle avait récupérée dans un des cartons. Tout l'appartement allait passer à la catégorie supérieure ! Ginny paya le tout et prit rendez-vous pour une livraison le lendemain. Moyennant un supplément, on la débarrasserait de ce dont elle ne voulait plus, c'est-à-dire de la plupart de ses meubles actuels.

Après leur session de shopping, Ginny et Blue s'arrêtèrent à China Town et partagèrent un délicieux dîner dans un restaurant qu'elle adorait. De retour à l'appartement, Blue voulut regarder un film à la télé, mais Ginny lui rappela qu'il avait cours le lendemain. Il commença par ronchonner... Sur un regard de Ginny, il leva les deux mains en signe de capitulation.

— Ouais, c'est bon, je sais...

Il alla donc se glisser sous la couette sur le canapé.

— Tu peux lui faire un bisou d'adieu, lui rappela Ginny. Demain, à ton retour du collège, il ne sera plus là !

Le lendemain matin, Blue sortit de la maison en traînant des pieds, mais Ginny n'eut pas besoin de le rappeler à l'ordre. Après son départ, elle téléchargea le dossier de candidature pour LaGuardia, l'imprima et le lut avec attention en attendant la livraison des meubles. Le directeur du lycée lui avait précisé que, si la situation particulière de Blue pouvait excuser son retard dans le planning des inscriptions, en revanche aucune faveur ne lui serait accordée concernant le niveau d'exigence artistique : comme les autres, Blue devrait faire ses preuves lors de l'audition. Ce n'était que justice, pensa Ginny. Elle laissa le dossier en évidence sur son bureau et écrivit un mail à Charlene pour l'informer que son neveu était revenu habiter chez elle.

Il fallut un bon moment aux livreurs pour enlever les anciens meubles et installer les nouveaux selon les instructions de Ginny. Après leur départ, elle plaça les coussins en fourrure et en velours sur le canapé anthracite, et un autre tout doux, en mohair beige, sur le fauteuil club. Puis elle sortit d'autres photos – de ses parents, de Becky, de Mark et de Chris – et les disposa un peu partout. Dans sa lancée, elle accrocha des posters et des photos d'art sur les murs. Elle disposa quelques magazines sur la vieille malle qu'elle avait conservée et qui apportait désormais juste une petite touche bohème, avec ses étiquettes de voyages. Enfin, elle rangea ses livres dans la bibliothèque.

Dans la chambre de Blue, le fauteuil et le tapis de couleur rouge contrastaient avec les superbes meubles bleu foncé et étaient du plus bel effet. Elle accrocha trois posters aux teintes vives, brancha les lampes et fit le lit. Au final, on aurait dit que l'appartement avait été transformé d'un coup de baguette magique !

Quand Blue rentra, il ouvrit des yeux grands comme des soucoupes.

— Waouh ! J'ai dû me tromper d'adresse ! C'est comme à la télé, quand les gens laissent leur maison à la décoratrice et que tout le monde pleure de joie quand ils reviennent à la fin !

— Contente que ça te plaise, Blue.

Il entra alors dans sa chambre et il y eut un silence. Ginny passa la tête par l'embrasure : debout au milieu de la pièce, le garçon ne bougeait plus. Les lampes étaient allumées, le lit disposait de draps propres, d'une couverture et d'un couvre-lit. Tout était si accueillant et chaleureux... Bien plus que dans le magasin de meubles !

— Pourquoi est-ce que tu fais tout ça pour moi, Ginny ?

— Parce que tu le mérites, Blue, murmura-t-elle en lui posant la main sur l'épaule. Tu mérites une vie merveilleuse.

Blue avait lui aussi considérablement embelli la vie de Ginny. Grâce à lui, elle avait à présent un foyer, non un simple pied-à-terre aux affreux meubles dépareillés. Grâce à lui, elle avait osé ouvrir ses cartons remplis d'objets familiers. Certains éveillaient certes de douloureux souvenirs, mais elle se sentait prête à les affronter. Le jeune garçon lui avait donné la force et le courage de franchir cette étape.

Ce soir-là, ils préparèrent le repas ensemble et dînèrent aux chandelles. Au dessert, Ginny lui montra le dossier de candidature. Il y jeta un coup d'œil anxieux.

— Ça m'étonnerait qu'ils me prennent..., marmonna-t-il en feuilletant le document.

— Et si tu les laissais décider ? répondit-elle d'une voix douce.

Après le dîner, elle le laissa faire ses devoirs et se mit à la vaisselle. Alors qu'elle s'essuyait les mains, elle le regarda travailler sur la table de la salle à manger, le nez plongé dans ses livres.

— Qu'est-ce qu'il y a ? demanda-t-il en croisant son regard.

— C'est joli, chez nous, tu ne trouves pas ?

Il répondit à son sourire.

— Oui, c'est joli, Ginny.

Comme c'était bon, d'avoir quelqu'un à qui parler, avec qui entreprendre des projets ! Leurs chemins s'étaient croisés pile au bon moment. Depuis ce triste soir d'anniversaire, elle n'avait pas une seule fois songé à se jeter dans l'East River. Et voilà qu'elle était à nouveau entourée d'objets familiers et que, sous son toit, vivait un garçon qui avait besoin d'elle... La vie de Ginny avait retrouvé un sens.

Ce soir-là, Blue alla se coucher pour la première fois dans une chambre qui était la sienne en propre. Ginny était en train de sombrer dans le sommeil lorsqu'elle l'entendit toquer contre la cloison. Se demandant s'il avait un problème, elle sauta au bas du lit...

— Merci, Ginny, tu es super ! cria-t-il depuis l'autre chambre.

— De rien, Blue. Bonne nuit !

Sur ce, elle se recoucha et s'endormit en souriant.

8

Il leur fallut un certain temps, mais Ginny et Blue finirent par rassembler les bulletins scolaires et les lettres de recommandation nécessaires pour postuler à LaGuardia. La jeune femme avait appelé le principal adjoint de son collège actuel, lui avait présenté ses plus plates excuses et lui avait expliqué que Blue était de retour chez elle après les aléas des derniers mois. Elle lui avait ensuite parlé du lycée artistique et l'avait supplié d'appuyer la candidature de son protégé. L'homme avait déclaré que cela lui faisait mal au cœur compte tenu du peu d'assiduité de Blue, mais il reconnaissait que le garçon était brillant et qu'un cursus en adéquation avec ses centres d'intérêt constituait sans doute une chance unique de le remettre dans le droit chemin. Si Blue obtenait de bonnes notes aux examens de fin d'année et s'il rendait les dossiers et devoirs qu'il n'avait pas encore terminés, il obtiendrait son brevet de fin de collège, condition *sine qua non* de son admission à LaGuardia.

Ce soir-là, Ginny demanda à Blue s'il lui restait encore beaucoup de devoirs à rendre avant la fin du trimestre.

— Tu n'as qu'un tout petit effort à faire, lui dit-elle, et ensuite tu pourras te consacrer à la musique !

Tout à coup, Ginny endossait le rôle de mère de substitution pour cet adolescent...

Quand tout fut prêt, y compris la lettre de motivation que Blue devait rédiger, Ginny alla en personne déposer le dossier au secrétariat, et rendez-vous fut pris la semaine suivante pour l'audition. Blue avait le trac, mais Ginny promit de l'accompagner.

Le lendemain, alors qu'ils faisaient des courses ensemble, ils passèrent devant une église, et Ginny fit une halte : elle aimait allumer des cierges en mémoire de Chris et Mark. Blue l'attendit dehors.

— Pourquoi est-ce que tu fais ça ? bougonna-t-il quand elle ressortit. Ton argent va à des menteurs et des escrocs !

— Ça m'aide à me sentir mieux, répondit simplement Ginny. Je ne demande rien aux prêtres, mais allumer un cierge a quelque chose de réconfortant. Je le faisais déjà quand j'étais petite.

Comme il restait muet, elle décida de prendre son courage à deux mains et de lui demander pourquoi il méprisait autant les prêtres, les églises et tout ce qui touchait à la religion. Il ne dissimulait pas sa haine et il lui arrivait de se mettre en furie à ce sujet. Sa mère avait pourtant chanté dans une chorale d'église, la religion ne pouvait pas lui être totalement étrangère...

— Pourquoi détestes-tu autant les curés, Blue ?

— Je les déteste, c'est tout. Ils sont méchants. Ils essaient de faire croire le contraire à tout le monde, mais c'est faux.

— Tu connais des prêtres méchants ?

Ginny était perplexe. Elle se demandait si Blue associait la religion au décès de sa mère...

— Ouais, le père Teddy, répondit-il avec hargne. C'est le curé de l'église de ma tante. Il jouait avec moi au sous-sol.

— Comment ça, « il jouait avec toi » ? demanda Ginny d'un ton aussi détaché que possible.

En réalité, un voyant rouge venait de s'allumer dans sa tête.

— Il m'embrassait, lâcha Blue en la fixant de ses yeux bleus qui la transpercèrent jusqu'au fond de l'âme. Et puis il m'a forcé à l'embrasser aussi. Il disait que c'était la volonté de Dieu.

Ginny mesura à l'aune de cette révélation toute la confiance que Blue avait placée en elle.

— Quel âge avais-tu ?

— Je ne sais pas, c'était après la mort de maman. Peut-être neuf ou dix ans. Il me laissait jouer sur le piano de la salle paroissiale, au sous-sol de l'église Il s'asseyait à côté de moi sur le tabouret, jusqu'au jour où il a commencé à m'embrasser dans le cou, et puis il m'a... fait des trucs, tu vois ? Moi, je ne voulais pas, mais il a dit que je ne pourrais pas revenir si je ne le laissais pas. Sérieusement, je crois que j'aurais fait n'importe quoi pour jouer de ce piano.

À ce récit, Ginny sentit ses genoux flageoler. La nausée l'assaillit.

— Et est-ce que... Est-ce qu'il est passé à l'acte avec toi ? demanda-t-elle, remplie d'une rage contenue à l'égard de ce prêtre indigne.

Blue secoua la tête.

— Non. J'ai arrêté d'y aller avant qu'il essaie vraiment. Il m'a touché plusieurs fois, tu sais, là... Il mettait sa main dans mon pantalon. Il disait qu'il ne voulait pas faire ça, mais que je jouais tellement bien qu'il était tenté. D'après lui, c'était ma faute, et je serais puni si on apprenait que je tentais un prêtre comme ça. Il disait même que je finirais en prison, comme mon père. J'avais vraiment peur. Moi, je ne voulais pas le tenter, ni avoir d'embrouilles avec Dieu ou aller en prison. Alors j'ai arrêté de jouer du piano. Après ça, il venait toujours vers moi quand la messe était finie et il me demandait à l'oreille de revenir, mais je n'y suis jamais retourné. Il venait aussi chez ma tante, le dimanche midi. Elle disait que c'était un saint.

— Tu en as parlé à Charlene ?

— J'ai essayé, une fois. Je lui ai parlé des bisous, mais elle m'a traité de menteur. Elle a dit que j'irais en enfer si je racontais du mal du père Teddy. Entre l'enfer et la prison... J'ai laissé tomber, et de toute façon elle ne m'aurait pas cru. Tu es la seule à être au courant.

— Ce prêtre est un criminel. Ce qu'il t'a fait est très mal, tu le sais, Blue, n'est-ce pas ? C'est

uniquement sa faute, et tu n'as rien à te repro-
cher. Tu ne l'as pas « tenté », comme il dit. C'est
quelqu'un de malade dans sa tête, qui a essayé de
rejeter la culpabilité sur toi.

— Ouais, je sais, dit-il en plantant son regard
dans le sien. Les prêtres sont des menteurs et des
escrocs. Je suis sûr qu'il m'a laissé jouer du piano
exprès, pour faire ce qu'il voulait.

Quelle sordide machination pour séduire un
enfant innocent ! Comment un homme avait-il pu
abuser ainsi de sa position d'autorité ? Ginny en avait
la chair de poule. Grâce à Dieu, l'appel du piano
n'avait pas suffi, et le prêtre n'avait pu poursuivre
ses exactions. Cependant, maintenant qu'elle y pensait, d'autres petits garçons de la paroisse n'avaient
peut-être pas eu la même chance que Blue...

— Ce curé est un homme dangereux, Blue.
C'est lui qui mérite d'aller en prison.

— Nan... ils n'arrêteront jamais le père Teddy.
Tout le monde l'adore, même Charlene. Je sortais
chaque fois qu'il venait à la maison. Et j'ai fini
par ne plus aller à la messe. Je disais à Charlene
que je ne me sentais pas bien, donc au bout d'un
moment, elle ne m'a plus proposé de venir. Je ne
mettrai plus jamais les pieds dans une église. Le
père Teddy est un vieux dégoûtant, conclut-il en
frissonnant.

— Quelle horreur... Cette histoire ne devrait pas
rester un secret. Et s'il faisait du mal à d'autres
enfants ?

— C'est sûrement trop tard. Jimmy Ewald disait
aussi qu'il le détestait, mais je ne lui ai jamais

demandé pourquoi. Il avait douze ans à l'époque. Il était enfant de chœur et sa mère adorait le père Teddy... comme tout le monde. Elle lui préparait des gâteaux. Ma tante, elle, elle lui donnait des sous, alors qu'elle en aurait eu besoin pour ses gosses. Il est vraiment très méchant, ce prêtre.

Après de telles révélations, Ginny trouvait que le mot était bien faible ! Ils continuèrent leur chemin en silence jusqu'à l'appartement. Ginny était sous le choc : un garçon de neuf ou dix ans, abusé par un prêtre... C'était sidérant. On entendait parler de ce genre de choses dans les journaux, mais Ginny n'aurait jamais imaginé que cela puisse arriver à quelqu'un de sa connaissance. En plus, Blue était alors particulièrement vulnérable : sa mère était décédée, son père en prison, sa tante hypnotisée par ce curé pervers. Pas étonnant qu'il ne veuille plus entrer dans une église ! Même si Blue disait vrai, à savoir que le prêtre ne l'avait pas violé, ce qu'il avait subi avait peut-être engendré des séquelles psychologiques indélébiles...

Ginny prépara le dîner, puis Blue travailla à l'un des devoirs qu'il devait rendre. Il s'agissait d'un dossier pour le cours de sciences sociales, sur l'impact de la publicité en direction des enfants à la télévision. Pendant ce temps, Ginny faisait semblant de lire un livre, mais elle n'arrivait pas à penser à autre chose que ce que Blue lui avait raconté dans l'après-midi.

Elle dormit très mal. Elle ne pouvait s'empêcher de songer à Blue, se demandait si ce souvenir le hantait et s'il avait souvent des cauchemars. Quand il en parlait, il dégageait plutôt une sorte de colère froide.

Le lendemain matin, après l'avoir envoyé en cours, elle resta à regarder par la fenêtre, perdue dans ses pensées. L'envie la taraudait de passer un certain coup de fil, juste pour discuter de toute cette histoire... Kevin Callaghan était un vieil ami du temps où elle était reporter. Elle avait rompu le contact avec lui, comme avec tous les autres... Mais il fallait qu'elle lui parle. Kevin était le meilleur journaliste d'investigation du petit écran. Si quelqu'un savait par où commencer une quelconque procédure, c'était bien lui. Il saurait aussi quelles seraient les retombées éventuelles pour Blue, car Ginny ne voulait pas exposer le garçon à quelque chose qui le dépasserait. Elle ne supportait pas l'injustice criante que constituait l'exploitation d'un enfant. Elle était prête à poursuivre le curé en justice. Mais était-ce la meilleure chose à faire ? En tout cas, elle n'en dirait rien à Blue pour le moment.

Ginny attendit qu'il soit midi à New York : quand il n'enquêtait pas sur le terrain, Kevin arrivait à neuf heures à son bureau de L.A. Il était spécialisé dans les affaires criminelles et elle présumait qu'il serait bien informé sur l'affaire des prêtres pédophiles. La main de Ginny tremblait en recherchant son numéro dans le répertoire de son téléphone : Kevin était un bon ami de Mark, elle ne lui avait pas parlé depuis trois ans...

— Kev ? C'est Ginny, dit-elle d'une voix rauque.

Il y eut une longue pause.

— Ginny ?

— Ginny Carter. Je vois que tu m'as complètement oubliée. Ce n'est pas très gentil de ta part !
ironisa-t-elle.

Kevin laissa échapper un cri de surprise, avant
de répliquer sur le même ton :

— Dis donc, c'est l'hôpital qui se moque de la
charité ! Depuis le temps que tu ne réponds plus
à mes coups de fil, mes mails et mes SMS !

Il avait tenté de la joindre pendant un an avant
de capituler, après un dernier message de sympa-
thie pour l'anniversaire du drame. Cependant, il
avait eu de ses nouvelles par l'intermédiaire de sa
sœur. Et, contrairement à Becky, il respectait son
choix de vie.

— Je sais, je suis vraiment désolée, mais c'était
trop dur... J'ai essayé d'oublier qui j'étais et je dois
dire que ça n'a pas trop mal marché jusqu'à présent.
J'avais très peur de t'appeler... Mais tu m'as manqué. Parfois, je pense à toi, en haut d'une montagne
à l'autre bout du monde, et je t'envoie de bonnes
ondes ! Tu ne me reconnaîtrais pas... Fini le maquillage, et je ne prends même pas la peine de me coiffer.

La plupart du temps, elle avait l'air d'une auto-
stoppeuse...

— C'est sacrément dommage, ce que tu me dis
là... Mais je suis sûr que tu es toujours belle.

— Rien n'est plus pareil, Kev, qu'on le veuille
ou non.

— Comment vas-tu, Ginny ? Si j'osais, je t'invi-
terais sur Skype, mais j'ai peur de pleurer. Tu m'as
manqué aussi, tu sais. On formait une fine équipe,
tous les trois.

— Je fais aller. Et toi, toujours pas marié ?

Elle calcula qu'il avait maintenant quarante-quatre ans. C'était un très bel homme et un vrai don Juan ; Mark et Ginny l'avaient maintes fois taquiné à ce sujet.

— Nan... Je crois que j'ai loupé le coche, je suis un célibataire endurci. Mais il semblerait que les nanas qui s'intéressent à moi soient de plus en plus jeunes... La dernière avait vingt-deux ans, elle était miss Météo sur une autre chaîne, fraîchement émoulue de l'université de Californie du Sud. Ça devient ridicule, je sais, mais je m'amuse trop pour vouloir me caser. Dis-moi plutôt : quel bon vent te ramène vers moi ? Tu voulais juste dire bonjour ?

— Eh bien... non, j'avoue que mon coup de fil est un peu intéressé. Voilà : je suis dans une situation assez particulière. J'ai officieusement adopté un gamin des rues... Enfin, pas exactement. Nos chemins se sont croisés il y a quelques mois et disons que je lui sers de tutrice. Il est orphelin, sans abri, et il a treize ans. Il habite chez moi pour le moment. Ma sœur pense que je suis cinglée, mais c'est un garçon adorable et d'une intelligence exceptionnelle. J'essaie de le mettre sur le droit chemin, de l'inscrire au lycée pour l'année prochaine. Ce n'est pas facile, étant donné que je ne suis presque jamais à New York.

Kevin l'écoutait, curieux de savoir ce qu'elle avait à lui demander. D'un côté, il n'imaginait pas la Ginny qu'il avait connue autrefois héberger un ado SDF. D'un autre côté, il admirait l'épouse et la mère qu'elle avait été... Prendre à nouveau soin de quelqu'un lui redonnerait peut-être goût à la vie.

— Hier, nous étions en train de discuter tous les deux, quand il m'a dit un truc qui m'a clouée sur place, poursuivit-elle. On a tous lu ça dans la presse, ces dernières années. On le sait, mais c'est différent quand ça concerne un proche. Voilà...

Sur ce, elle lui raconta tout ce qu'elle savait des abus dont Blue avait été victime.

— Quelle saloperie..., jura Kevin entre ses dents. Ça me paraît d'autant plus atroce que je suis catholique et que j'ai connu des curés formidables quand j'étais gosse. Les prêtres qui commettent de telles horreurs sont un abcès sur la face de l'Église. Qu'ils soient maudits ! Leur hiérarchie devrait les déchoir de leur ministère et les envoyer en prison, au lieu de les protéger ! Est-ce que le garçon a été violé ?

— Je ne crois pas. Il dit que non, mais qui sait ? Il a pu refouler des souvenirs. Il était très jeune.

— Emmène-le chez un psy. Par l'hypnose, ils font émerger des choses enfouies. De toute façon, même s'il ne l'a pas violé, c'est déjà gravissime.

La réaction de Kevin, aussi violente que la sienne, validait son ressenti. Ginny éprouva un véritable sentiment de soulagement de s'être ouverte à lui.

— Je ne sais pas quoi faire, Kev, ni par où commencer. À qui parler ? De quel côté me tourner ? Si je porte plainte contre le prêtre, quelles seront les répercussions pour Blue ? Je n'en ai pas dormi de la nuit.

— Blue, c'est le prénom du gamin ?

— Oui, sa mère l'a appelé comme ça à cause de ses yeux. Ils sont d'un bleu extraordinaire !

— Comme les tiens, alors..., murmura Kevin.

Il avait toujours eu un faible pour elle, mais ne se serait jamais permis d'entreprendre quoi que ce soit : c'était la femme de son meilleur ami, et, même trois ans après le drame, il aurait eu l'impression de manquer de respect à Mark. D'ailleurs, Ginny ne releva pas le compliment.

— J'avoue que je ne connais pas la marche à suivre, reprit-il. J'ai entendu parler de ces affaires, comme tout le monde, mais je n'en sais pas beaucoup plus. Tu veux que je me renseigne ? Ça me donnera un prétexte pour te revoir !

— Ne t'inquiète pas, je ne disparaîtrai plus de ton écran radar, répondit-elle en esquissant un sourire. Je vais mieux, maintenant... Mais ça ne m'empêchera pas de repartir dans quelques semaines. Là, je reviens d'Afghanistan.

— Ah la vache ! Il y a un humanitaire qui s'est fait tuer là-bas, il y a quelques semaines...

— Nous faisions partie de la même expédition. Son cheval et le mien marchaient côte à côte quand le sniper a tiré.

— Ginny ! Je ne savais pas que tu faisais des missions aussi dangereuses ! Arrête de mettre ta vie en danger comme ça ! la sermonna Kevin, choqué.

— Que puis-je bien faire d'autre ? Au moins, je me rends utile, ça donne un sens à ma vie.

— Il me semble que tu fais beaucoup pour ce garçon. Or tu ne lui seras plus d'aucune utilité si tu meurs en mission...

— Oui, c'est ce qu'il dit, lui aussi. Mais j'aime ce métier.

— Écoute, je te passerai un savon la prochaine fois... Pour le moment, revenons à cette histoire de prêtre. Sais-tu s'il est toujours dans la même paroisse ?

— J'étais tellement sidérée que je n'ai pas posé la question à Blue. Je vais le lui demander, mais il ne le sait pas forcément lui-même. Il n'est plus retourné à l'église depuis.

— Il faut d'abord vérifier ça. Il a peut-être été muté à la suite de plaintes.

— Blue m'a parlé d'un autre garçon qui détestait ce curé. Il pense qu'il en a été victime, lui aussi.

— Recueille autant d'informations que possible. Pendant ce temps, je me renseigne sur les mesures à prendre d'un point de vue juridique. Naturellement, tu ne peux rien faire sans le consentement de Blue. De nombreuses victimes préfèrent se taire jusqu'à la fin de leurs jours et les coupables restent malheureusement impunis. Tout le monde a peur de jeter un pavé dans la mare. Enfin, pas « tout le monde », grâce à Dieu ! La honte change de camp...

— Très bien, je vais mener l'enquête. Merci, Kev, du fond du cœur. Ça m'a fait plaisir, de parler avec toi.

— Je te préviens, Ginny : je ne te laisserai pas te volatiliser à nouveau, même si tu t'enfuis en Afghanistan ! On s'appelle. D'ici là, sois sage et prends soin de toi.

— Oui, promis.

Ginny raccrocha, un peu soulagée. Elle n'aurait pas pu trouver mieux que Kevin pour la réconforter et l'aiguiller.

Ce soir-là, elle ne dit pas un mot de leur conversation à Blue. Elle préférait obtenir un maximum de renseignements en amont, à commencer par le nom de famille du prêtre. Si elle s'y prenait bien, elle pourrait s'adresser directement à la paroisse sans éveiller les soupçons. Elle voulait voir ce type de ses propres yeux.

Alors qu'elle était déjà couchée, ne pouvant s'empêcher de ressasser cette sombre histoire, le téléphone sonna. Le numéro de Becky s'afficha. Elle appelait rarement si tard : en Californie, c'était l'heure du dîner et elle avait fort à faire à la cuisine.

— Que se passe-t-il ? demanda immédiatement Ginny.

— Papa est tombé aujourd'hui. Il s'est cassé le bras, répondit Becky, à cran. Il s'est encore perdu. Je crois que son traitement ne fait plus aucun effet. Nous l'avons emmené aux urgences et il n'a pas compris où il était. Ça ira peut-être mieux demain, à la lumière du jour. Mais il faut que tu viennes, Ginny ! J'ai peur qu'il ne soit plus parmi nous quand tu reviendras de ta prochaine mission.

— Ma pauvre Becky... et pauvre papa ! Je vais voir si je peux venir en fin de semaine.

Ginny réfléchit rapidement :

— Je vais essayer, mais je ne serai pas seule.

— Il y a quelqu'un dans ta vie ? s'étonna Becky.

— Ce n'est pas ce que tu crois. Blue est revenu habiter à la maison. J'essaie de le faire entrer dans

145

un lycée très sélectif, il doit passer une audition et un entretien la semaine prochaine. Donc nous ne sommes libres que ce week-end.

— Mon Dieu, ne me dis pas que tu recommences ! Tu as perdu la tête ? Tu n'as vraiment pas besoin d'un SDF chez toi !

— Blue est bien plus que ça.

— Tu veux l'adopter ?

— Non, mais disons que je le parraine. Il n'a besoin que d'un petit coup de pouce pour réussir dans la vie. Mais ne t'inquiète pas : pour ce week-end, je réserve un hôtel.

— Arrête, Ginny, c'est bon... Tu sais bien que nous avons une chambre d'amis. Le garçon pourra dormir dans la chambre de Charlie, s'il se comporte correctement.

À écouter sa sœur, Blue était un sauvageon !

— Il est très poli, Becky, je t'assure. Je suis sûre qu'il va te plaire.

De toute façon, ils ne resteraient pas longtemps. Ginny prévoyait de prendre l'avion le vendredi après la classe, et de revenir dans la nuit de dimanche à lundi.

— Je t'enverrai les coordonnées de notre vol par mail, conclut-elle.

Après avoir raccroché, Ginny resta songeuse. Que lui réservait ce séjour à L.A. ? Elle appréhendait de voir son père aussi diminué... et ce serait la première fois qu'elle retournerait chez Becky depuis bien des années.

Le lendemain, elle annonça à Blue qu'ils partaient en voyage. À l'idée de prendre l'avion et d'aller en Californie, le garçon sauta de joie, même si c'était pour rendre visite à un monsieur âgé et malade. Il était ravi de rencontrer Becky et sa famille, ce qui remonta un peu le moral de Ginny. Celle-ci appela Charlene dans la matinée et lui exposa son intention d'emmener Blue à L.A.

— Ça vous ennuierait, de me signer une lettre d'autorisation ? Si quelqu'un me demande des papiers, je ne veux pas qu'on me prenne pour une kidnappeuse d'enfant.

— Pas de problème, répondit Charlene.

Elles se donnèrent rendez-vous au Mount Sinai Hospital le soir même. La lettre fut signée en deux minutes sur un coin de table de la cafétéria.

Puis Charlene scruta le visage de Ginny, songeant que cette femme devait se sentir terriblement seule, pour avoir ainsi ouvert sa porte à un inconnu.

— Comment va Blue ? lui demanda-t-elle.

— Très bien, répondit Ginny avec un sourire confiant. Il obtiendra son brevet fin juin.

— S'il ne sèche pas les cours, soupira Charlene.

— J'en fais mon affaire, rétorqua Ginny de façon si déterminée que les deux femmes éclatèrent de rire.

Puis, sur le ton de la conversation anodine, elle demanda à Charlene quelle paroisse elle fréquentait. Fièrement, cette dernière répondit qu'il s'agissait de Saint-François.

— Ah, très bien... Parce que moi, je n'ai pas encore réussi à emmener Blue à l'église, mais j'ai bon espoir.

— Oh ! ne comptez pas dessus ! Il ne voudra jamais, j'ai tout essayé.

Ginny se demanda si elle se souvenait de l'histoire du baiser. Charlene l'avait probablement éludée, ne voyant qu'un mensonge d'enfant dans la confidence de Blue.

Après l'avoir remerciée une dernière fois, Ginny rentra en taxi et trouva Blue prêt à se mettre au lit. Elle avait posé sur le fauteuil rouge des vêtements propres pour le voyage et lui avait en outre acheté un jean, un pantalon en toile, trois polos, une veste légère, une paire de Converse montantes, ainsi que des boxers, des chaussettes et un pyjama, le tout bien rangé dans sa petite valise. Afin de lui donner toutes les chances de produire une impression favorable sur Becky, elle n'avait pas lésiné sur les dépenses ! Mais elle était certaine que son charme naturel et ses bonnes manières agiraient d'eux-mêmes.

Quand il fut couché, elle prit le temps de déposer un baiser sur son front.

— Bonne nuit, Blue.

— Bonne nuit. Tu sais, Ginny... je t'aime bien.

— Moi aussi, Blue.

Voilà bien longtemps que personne ne lui avait plus adressé de tels mots...

9

Le vendredi après-midi, Ginny vint chercher Blue en taxi à la sortie du collège. Becky lui avait donné des nouvelles encourageantes de leur père au téléphone. Arrivés à l'aéroport, ils enregistrèrent leurs bagages, puis Ginny suggéra qu'ils aillent acheter quelques magazines dans le hall d'embarquement.

— Il y a un kiosque à journaux, ici ? s'étonna Blue.

Elle réalisa alors qu'il prenait l'avion pour la première fois. Il n'avait jamais vu d'aéroport, si ce n'est à la télévision.

— Oh oui, il y a plein de boutiques, répondit-elle en souriant, tandis qu'ils faisaient la queue devant le portique de sécurité.

Elle lui expliqua qu'il devait se déchausser, enlever sa ceinture et vider les pièces de monnaie qu'il avait dans les poches. Suivant son exemple, il les plaça dans un bac en plastique et son ordinateur dans un autre, puis récupéra le tout de l'autre côté.

Il regardait tout cela avec de grands yeux fascinés. Pour lui, c'était l'aventure ! Quel dommage qu'ils ne disposent que de deux jours... Elle aurait tant aimé lui faire visiter L.A. D'autant que, grâce à lui, l'anxiété qu'elle ressentait à l'idée de retrouver ces lieux si chargés de souvenirs s'estompait un peu.

Ils passèrent un moment à la librairie. Elle acheta un livre de poche pour elle et plusieurs magazines pour lui, ainsi que des bonbons et des chewing-gums. Puis ils firent un tour au magasin de souvenirs. Après quoi, Blue mangea un hot-dog ; il avait toujours faim après les cours. Ginny n'avait jamais autant flâné avant de prendre un avion : d'habitude, elle se dirigeait tout droit vers sa porte d'embarquement. Mais Blue ne voulait rien rater ! À bord, ils hissèrent leurs bagages à main dans le compartiment, puis elle lui laissa la place côté hublot.

— On ne va pas s'écraser, hein, Ginny ?

— Il n'y a pas de raison, répondit-elle en souriant. Pense à tous les avions qui décollent, atterrissent et parcourent le ciel en ce moment même, dans le monde entier ! Il y en a des milliers. Quand as-tu entendu parler d'un accident pour la dernière fois ?

— Je ne m'en souviens pas.

— Exactement. Donc je crois que nous ne craignons rien.

Blue parut rassuré. Et il fut enchanté d'apprendre qu'il y aurait un film et un repas.

— Je peux commander ce que je veux ?

— Il y a le choix entre deux ou trois choses, mais si tu veux un hamburger-frites, tu devras attendre que nous soyons arrivés.

Son émerveillement était touchant à voir ! L'inquiétude avait laissé place à l'excitation lorsque le Jumbo Jet décolla. Blue regarda le paysage un bon moment avant d'ouvrir un de ses magazines. Puis il prit le petit écran vidéo que lui tendait l'hôtesse et mit ses écouteurs. Il mangea en regardant le film qu'il avait choisi, après quoi il ne tarda pas à s'endormir. Ginny sortit la couverture de son emballage et le couvrit. Elle n'avait pas eu à montrer la lettre d'autorisation, personne ne lui avait demandé pourquoi elle voyageait avec cet enfant.

Elle le réveilla avant l'atterrissage, afin de lui permettre d'admirer Los Angeles depuis le ciel. Fasciné, il contempla les lumières, les alignements de villas et de piscines. Le Boeing 747 toucha le sol, rebondit deux fois et roula jusqu'au terminal. Ginny sourit à Blue : il venait de vivre son baptême de l'air ! Elle en aurait presque oublié la raison de ce voyage, cette visite à son père qui risquait d'être la dernière.

— Bienvenue à Los Angeles ! dit-elle au garçon, alors qu'ils s'engageaient dans l'allée pour descendre de l'appareil avec les autres passagers.

Même après tout ce temps, elle eut la sensation d'être arrivée chez elle. L.A. serait toujours sa maison. Une minute plus tard, ils pénétraient dans le terminal et se dirigeaient vers les tapis à bagages. Afin de ne pas déranger Becky, elle avait loué une voiture. Et alors qu'ils attendaient leur tour devant le comptoir de location, elle se demandait quel accueil la famille de sa sœur réserverait à Blue. Elle craignait qu'il ne se sente mal à l'aise face à ses neveux. Leur expérience de vie différait tant de la sienne ! Ils formaient une famille typique de la classe moyenne américaine : une mère, un père, trois enfants, deux voitures, une maison individuelle et une piscine. Les enfants réussissaient bien à l'école. Charlie, l'aîné, venait d'être accepté à UCLA. Quant à la benjamine, prénommée Lizzie, elle avait exactement le même âge que Blue. Pourvu qu'elle soit aimable avec lui...

Le réceptionniste remit à Ginny les clés d'un SUV flambant neuf – qui alluma de nouvelles étincelles dans les yeux de Blue – et ils s'engagèrent dans les embouteillages sur la route de Pasadena. Avec le décalage horaire, il était maintenant vingt heures à L.A. Les gens rentraient chez eux ou sortaient dîner en ce vendredi soir. La circulation était extrêmement dense, la température avoisinait les vingt-sept degrés, mais Blue souriait d'une oreille à l'autre.

— Merci de m'avoir emmené avec toi, Ginny... Tu aurais pu me laisser à Houston Street pour le week-end.

— J'ai pensé que tu t'amuserais ici. Je dois passer un peu de temps avec mon père, mais il dort beaucoup. Nous pourrons faire un petit tour de la ville en voiture tous les deux.

Tout en évitant Beverly Hills, songea-t-elle. Il n'était pas question qu'elle se promène dans le quartier de son ancienne vie.

— Tu travaillais dans quoi, quand tu habitais ici ? demanda Blue.

Sachant que le sujet était sensible, il évitait d'évoquer le passé de Ginny et ne parlait de Mark et Chris que si elle abordait le sujet la première, ce qui se produisait rarement.

— J'étais reporter.

— Genre... tu passais à la télé ?

Elle acquiesça.

— Waouh, tu étais une star, alors ! Reporter, c'est celui qui est assis derrière le bureau... ou bien celui qui est debout sous la flotte, avec son parapluie qui se retourne et le son qui ne passe plus ?

Ginny éclata de rire. La description était bien vue.

— Je faisais un peu les deux, expliqua-t-elle. Parfois, je présentais le journal avec Mark. Parfois, je tournais des reportages sous la pluie. Heureusement qu'il ne pleut pas beaucoup par ici !

— Tu aimais bien ça ?

— Ouais, la plupart du temps, répondit-elle après un instant de réflexion. On s'amusait bien, avec Mark. Et les gens étaient comme des fous quand ils le reconnaissaient dans la rue.

— Alors pourquoi est-ce que tu as arrêté ?

Elle lui glissa un regard de côté. Il la fixait intensément.

— Sans lui, ce ne serait plus pareil. Tu sais, je ne suis jamais retournée au travail... J'ai habité chez ma sœur pendant quelque temps, et puis j'ai déménagé et je me suis engagée chez SOS/HR pour voyager partout dans le monde.

153

— Personne ne te tire dessus quand tu es dans un studio de télé. Tu devrais y retourner un jour...

Elle secoua la tête. Tout cela était derrière elle. Et elle ne supporterait pas de voir la pitié dans le regard de ses anciens collègues.

Une heure après avoir pris la route, ils aperçurent enfin la sortie Arroyo Seco Parkway en direction de Pasadena. Ils empruntèrent des rues plantées d'arbres et bordées de demeures cossues, gravirent une petite colline et s'engagèrent dans l'allée d'une belle maison en pierre, flanquée d'une vaste piscine. Il y avait un portail, mais Becky l'avait laissé ouvert en prévision de leur arrivée. Ginny avait oublié que c'était si grand... Mais il fallait bien cela pour abriter une famille de cinq personnes. Un labrador noir vint les saluer en aboyant.

— On se croirait dans un film, souffla Blue.

Alors qu'ils descendaient de voiture, Becky sortit pour les accueillir. Elle adressa un sourire forcé à Blue, cachant à peine sa désapprobation. Heureusement, le garçon ne sembla pas s'en apercevoir. Il était subjugué par le décor.

Ginny constata avec bonheur que sa sœur n'avait pas changé. Elle n'avait pas pris la moindre ride depuis la dernière fois qu'elles s'étaient vues. Plus jeune, c'était une véritable beauté... Aujourd'hui, elle ne se préoccupait plus vraiment de son look. Elle avait grossi de sept kilos à la naissance de Charlie et n'avait jamais rien fait pour les perdre. Elle ne se maquillait pas, portait tous les jours le même genre de vêtements confortables – tee-shirt, jean et tongs –, qu'elle appelait son uniforme. Ses cheveux, d'un blond plus foncé que ceux de Ginny, étaient retenus par une grosse pince.

Ils entrèrent par la porte de derrière, le chien sur les talons, et pénétrèrent dans la cuisine. Les trois enfants de Becky étaient en train de dîner d'un plat de pâtes, d'une grosse salade et d'ailes de poulet grillées. Blue en eut l'eau à la bouche. Cependant, il n'osait pas s'avancer dans la pièce... La première, Margie se leva pour embrasser sa tante. Se demandant comment Becky leur avait expliqué la présence de son protégé, Ginny le présenta simplement comme « Blue Williams ». Charlie vint ensuite la prendre dans ses bras et serra la main de Blue. Elle fut stupéfaite de voir combien son neveu avait grandi : il mesurait au moins un mètre quatre-vingt-dix. Enfin, Lizzie les rejoignit, fit la bise à Ginny et regarda Blue droit dans les yeux. Ils étaient exactement de la même taille et avaient le même âge.

— Salut, moi c'est Lizzie, lâcha-t-elle en lui adressant un large sourire.

Elle avait de longs cheveux blonds et lisses et portait un appareil orthodontique qui lui donnait un air très jeune. Sous son tee-shirt rose et son jean blanc, on devinait ses formes. Blue fut immédiatement sous le charme.

— Tu veux manger quelque chose avec nous ? proposa-t-elle.

Blue se tourna vers Ginny. Comme cette dernière l'encourageait d'un signe de tête, il s'assit pendant que Lizzie allait lui chercher une assiette et lui offrait un Coca. Margie et Charlie lui demandèrent comment s'était passé le voyage : du haut de leurs seize et dix-huit ans, ils paraissaient beaucoup plus mûrs. Mais la glace était brisée et Blue se servit des pâtes et du poulet tandis que Lizzie ne cessait de bavarder.

— Où est papa ? demanda Ginny à sa sœur.

— À l'étage. Il dort déjà. En général, il va se coucher vers huit heures. Il avait mal au bras aujourd'hui et je crois que son plâtre l'a gêné la nuit dernière, alors je lui ai donné un cachet. Il se réveille aux aurores... Alan va rentrer d'ici quelques minutes, il a joué au tennis après le travail.

Le plus étonnant, pour Ginny, c'était de voir à quel point les choses avaient peu changé. Mêmes occupations, même maison... Même le chien l'avait reconnue et lui avait fait la fête. D'un côté, c'était plutôt réconfortant, mais d'un autre côté elle se sentait d'autant plus en décalage avec leur mode de vie. Alors que Becky lui tendait un verre de vin, elle eut l'impression d'avoir atterri de la planète Mars.

Elles laissèrent les enfants à la cuisine et passèrent dans la salle de séjour. La maison comprenait en outre un grand salon, qu'ils n'utilisaient qu'à Noël et Thanksgiving, ou quand ils avaient de la visite. Le reste du temps, ils se réunissaient dans cette pièce à vivre, équipée d'un immense écran plat au-dessus de la cheminée. C'est là qu'ils regardaient le football américain le lundi soir. Ils étaient tous férus de sport et ne manquaient aucune finale... Becky et Alan excellaient au tennis, et les enfants pratiquaient des sports d'équipe : basket, foot, baseball et volley. Charlie était capitaine de l'équipe de natation du lycée et ses résultats scolaires étaient à l'avenant de ses performances sportives : au mois de juin, il quitterait le lycée avec la mention « très bien ». Becky pouvait se rengorger : aucun de ses enfants n'avait jamais récolté la moindre mauvaise note, ni commis le moindre écart de conduite.

— Il est mignon, concéda Becky, sans avoir besoin de préciser qu'elle parlait de Blue.

— Oui, et très intelligent. C'est étonnant, étant donné ce qu'il a vécu et le peu de soutien dont il a bénéficié jusqu'ici.

Becky ne comprenait toujours pas pourquoi Ginny se donnait tout ce mal pour ce garçon, mais elle reconnaissait qu'il s'était montré très poli : dès son arrivée, il l'avait remerciée quand elle les avait invités à entrer.

Lorsque les deux femmes revinrent dans la cuisine, Lizzie et Blue étaient en train de parler musique. Elle lui montrait des vidéos sur l'ordinateur de la cuisine et tous deux riaient comme s'ils se connaissaient de longue date. Puis Charlie annonça qu'il sortait. Sa mère lui recommanda de conduire prudemment et Ginny comprit qu'il avait maintenant sa propre voiture. Le temps avait filé à toute vitesse. En Californie, on pouvait obtenir un permis de conduite provisoire dès l'âge de seize ans. Margie conduisait, elle aussi, même si elle ne possédait pas encore *sa* voiture...

Les deux filles proposèrent à Blue de jouer sur la console et l'entraînèrent dans la salle de jeux.

Le protégé de Ginny était entre de bonnes mains.
C'est alors qu'Alan rentra. Il salua sa belle-sœur
avec effusion. Il était si heureux de la voir ! Mais
elle avait trop maigri. Il fallait qu'elle mange !

— D'ailleurs, qu'y a-t-il pour le dîner ? Je meurs
de faim, moi ! déclara-t-il en se servant un verre
de vin.

Il portait ses vêtements de tennis, était toujours
aussi bel homme...

— Salade et Saint-Jacques, répondit son épouse
en enfournant des coquilles achetées au marché
dans l'après-midi.

Avec Becky, tout était vite fait, bien fait, à
tel point que, parfois, cela manquait un peu de
charme. Les coquilles Saint-Jacques gratinées n'en
étaient pas moins délicieuses. Alan resservit du vin
à tout le monde.

— Content que tu sois enfin venue, Ginny. Les
deux dernières années ont vraiment été très dures
pour ta sœur, dit-il d'un ton amer. Tu es partie
au bon moment.

Cette dernière phrase était injuste : comme si
elle avait quitté L.A. pour échapper à ses responsabilités... alors que son fils et son mari étaient
morts ! Mais elle imaginait le stress auquel Becky
était soumise depuis qu'elle devait s'occuper de
leur père. Et ce devait être tout aussi perturbant
pour les enfants.

Ils étaient en train de discuter dans la salle de
séjour quand on entendit de la musique. Ginny
sourit. Elle avait deviné qui jouait.

— Tiens, tu as acheté un nouveau CD, ma chérie ? s'enquit Alan. Il a l'air vraiment super ! On aurait dit un pot-pourri de chansons populaires.

— Non, je n'ai rien acheté ; je ne sais pas ce que c'est. Sûrement Lizzie qui a allumé la stéréo au sous-sol.

— Venez, vous allez être surpris, déclara Ginny en leur faisant signe de la suivre.

Ils entrèrent dans la salle de jeux et restèrent là, médusés, à observer Blue assis devant le piano : il jouait toutes les chansons que lui réclamait Lizzie, tout en intercalant des airs de Mozart pour la taquiner et la faire rire, avant de se lancer dans un boogie-woogie endiablé. Jamais des doigts aussi agiles n'avaient couru sur ce piano.

— Où est-ce qu'il a appris ? fit Becky, bouche bée, tandis que Blue interprétait maintenant une sonate de Beethoven.

— Il a appris tout seul, répondit fièrement Ginny. Il joue aussi de la guitare, et il compose. Il vient de déposer sa candidature au lycée musical de New York, LaGuardia. J'espère vraiment qu'il sera admis, il le mérite.

— Mon Dieu, c'est un enfant prodige ! reprit sa sœur. Charlie a pris des cours pendant cinq ans, mais il n'a jamais joué que des gammes ou des petites mélodies.

Alors qu'elle regardait Blue assis au piano, Ginny visualisa tout à coup le sous-sol de l'église du père Teddy et ce qui pouvait s'y passer. Elle réprima bien vite cette image et se concentra sur le présent.

Blue s'amusait comme un petit fou avec Lizzie ; on aurait dit qu'ils avaient grandi ensemble. Peu après, les jeunes montèrent regarder un film et les adultes s'installèrent dans le gros canapé moelleux.

Toute la maison était dédiée au confort. Elle correspondait parfaitement à leur style de vie à Pasadena, mais elle n'avait pas l'élégance de la villa de Ginny et Mark à Beverly Hills, qui reflétait alors leur statut de stars du petit écran.

— Becky m'a raconté tout ce que tu fais pour Blue, commença Alan. C'est admirable, Ginny, mais tu ne peux pas oublier qui il est, ni d'où il vient. Tu devrais rester prudente.

Ce qu'il pouvait être sentencieux...

— Tu crains qu'il ne me dérobe quelque chose, c'est ça ?

Tous deux acquiescèrent, assumant sans complexe leurs insinuations insultantes. Ginny était profondément choquée par leur étroitesse d'esprit.

— Oh, mais ne vous inquiétez pas, déclara-t-elle sans ciller, je fouille ses poches tous les matins avant de l'envoyer à l'école !

— Je n'arrive pas à croire que tu l'héberges sous ton toit. Pourquoi ne l'emmènes-tu pas dans un foyer ? Il y serait sûrement plus heureux.

Vaste sujet ! Ginny poussa un soupir. Elle détestait leur air supérieur et leurs allégations contre un garçon qu'ils ne connaissaient même pas. Il faut dire que leur expérience du monde était limitée, avec leur vie de banlieusards ultraprotégés. Heureusement, leurs enfants se montraient beaucoup plus ouverts, du moins en ce qui concernait Lizzie et Margie. Charlie était trop âgé pour s'intéresser à Blue ; il avait préféré sortir rejoindre sa petite amie.

Pour changer de sujet, Ginny parla de son travail dans l'humanitaire... que sa sœur et son beau-frère condamnaient également. Au lieu de la féliciter pour son courage, ils lui dirent qu'elle ne trouverait jamais de nouveau mari si elle s'obstinait à courir le monde pour vivre dans des camps de réfugiés. Selon eux, il était temps qu'elle dépasse son sentiment de culpabilité d'avoir survécu à l'accident.

— Je ne veux pas d'autre mari. J'aime encore Mark et ce n'est pas près de changer.

— Je ne crois pas qu'il approuverait ce que tu fais, énonça Alan.

La remarque sembla totalement déplacée à Ginny.

— Peut-être..., répondit-elle sans perdre son calme. Mais lui comprendrait pourquoi ce travail me passionne. De toute façon, il ne m'a pas vraiment laissé le choix. Je n'allais pas passer le restant de mes jours à me morfondre dans une maison vide.

— Eh bien, nous espérons que cela cessera bientôt, insista Alan.

Becky ne semblait pas gênée d'entendre son mari parler ainsi. À la surprise de Ginny, sa sœur en était à son quatrième verre de vin. Elle ne buvait pas autant autrefois...

— Quelle est ta prochaine destination ? demanda Alan.

— Je ne suis pas encore sûre. Peut-être l'Inde ou l'Afrique. J'irai là où on m'enverra.

— Non, mais tu te rends compte à quel point c'est dangereux ?

Becky hocha la tête d'un air critique. Ginny sourit :

— Oui, figure-toi que c'est pour ça que l'on m'envoie dans ce genre d'endroits : parce que les gens ont quelques petits problèmes... et que les organisations de défense des droits de l'homme peuvent les aider.

Alan avait sans doute raison : Mark aurait peut-être été choqué de la voir travailler dans de telles conditions. Mais cela valait bien mieux que de se jeter dans l'East River ! Becky et Alan ne pouvaient pas comprendre. D'ailleurs, elle espérait qu'ils n'auraient jamais à vivre pareille tragédie. Ils ne se doutaient pas combien il lui coûtait de se lever tous les matins. C'est grâce à son travail qu'elle tenait. Et grâce à Blue, désormais.

Un peu plus tard, Becky conduisit Ginny à la chambre d'amis. Blue dormirait avec Charlie.

— Il ne risque pas de toucher à quoi que ce soit, n'est-ce pas ? demanda Becky sur le ton de la conspiration.

— Comment peux-tu dire des choses pareilles ! s'indigna Ginny.

Pour la première fois depuis ses quatorze ans, elle aurait eu envie de gifler sa sœur. Étaient-ils donc devenus tellement petits-bourgeois qu'ils prenaient tous les sans-abri pour des voleurs ? C'était pitoyable.

— Non, il ne volera rien, reprit-elle d'un ton ferme.

Becky laissa Ginny déballer ses affaires dans la jolie chambre au papier peint fleuri. Dix minutes plus tard, Blue frappa à la porte et passa la tête par l'entrebâillement.

— Je me suis bien amusé ce soir, confia-t-il en souriant.

Ginny ne pouvait pas en dire autant...

— J'aime beaucoup Lizzie, et Margie est très sympa, poursuivit-il.

— Oui, ce sont d'adorables jeunes filles... Demain, tu pourras peut-être emprunter un maillot de bain à Charlie pour plonger dans la piscine. J'ai oublié de t'en acheter un.

— Waouh, ce serait trop cool !

Le paradis ne pouvait pas être plus idyllique que Pasadena ! Ginny l'embrassa, puis il disparut en direction de la chambre de Charlie, au bout du couloir. Elle referma doucement sa porte en songeant à la journée du lendemain. Elle appréhendait de voir son père si diminué...

Même les avertissements répétés de Becky ne l'avaient pas préparée à ce qu'elle allait vivre : le lendemain matin, alors qu'elle venait de s'asseoir à côté de son père, il se tourna vers elle :

— Il me semble que je vous connais, non ? hasarda-t-il d'une voix faible.

— Oui, papa. Je suis Ginny.

Il hocha la tête, comme s'il tentait d'assimiler cette information, puis il esquissa un sourire, un éclair de lucidité dans le regard.

— Ah oui... Tu ressembles à ta mère, énonça-t-il d'une voix un peu plus assurée, qui fit monter les larmes aux yeux de Ginny. Où étais-tu passée ?

— Il y a longtemps que je n'étais plus venue te voir. J'habite à New York, maintenant.

C'était plus facile à expliquer que l'Afghanistan...

— Ta mère et moi, on allait parfois y passer des vacances, dit-il avec nostalgie.

Ginny acquiesça.

— Je suis très fatigué, annonça-t-il soudain sans s'adresser à personne en particulier.

Convoquer ses souvenirs lui avait demandé un effort surhumain.

— Tu veux remonter t'allonger, papa ? proposa Becky.

Ginny découvrait la routine quotidienne de son père : comme il se levait à l'aube, il faisait souvent la sieste après le petit déjeuner.

— Oui, je veux bien, répondit-il en se levant sur des jambes flageolantes.

Ses deux filles l'aidèrent à monter l'escalier et à s'asseoir sur son lit. Il tendit alors le bras en regardant Ginny.

— Margaret ? murmura-t-il.

C'était le prénom de leur mère. Ravalant ses larmes, Ginny se contenta de hocher la tête. Elle aurait dû revenir beaucoup plus tôt... Mais au moins, il l'avait reconnue pendant quelques minutes. Il ferma les yeux et un instant plus tard il dormait, ronflant légèrement. Becky le plaça précautionneusement en position latérale, de peur qu'il ne s'étouffe, puis elles sortirent de la pièce et descendirent l'escalier.

— Tu crois que ça va aller ? s'inquiéta Ginny.

Elle comprenait enfin tout ce que Becky devait assumer. Quelle responsabilité ! À tout moment, il pouvait s'étrangler, tomber, ou se blesser. Et quand il s'aventurait dehors, il risquait de se faire renverser par une voiture ou de se perdre. Depuis deux ans, Becky exerçait une surveillance de tous les instants.

— Ça va pour le moment. Mais ça ne va pas durer. Je suis bien contente que tu sois venue ce week-end.

— Moi aussi, dit Ginny en la prenant dans ses bras. Merci de t'occuper de lui. Moi, je n'aurais jamais pu, même si j'avais continué à vivre ici. Il faut avoir du cran et un cœur gros comme ça...

— Tu sais, moi non plus, je ne pourrais pas faire ton boulot, rétorqua Becky. J'aurais trop les miquettes !

Et toutes deux de rire entre leurs larmes, avant de retrouver les jeunes à la cuisine qui finissaient leur petit déjeuner. Ils formaient un groupe animé : Charlie venait de proposer une sortie au parc Magic Mountains.

— Tu aimes les montagnes russes ? demanda Ginny à Blue.

Il opina, des étoiles dans les yeux.

— J'adore ! Je suis allé sur le « Cyclone » à Coney Island.

— Ceux-là sont beaucoup plus grands, prévint-elle.

— Tant mieux !

Charlie prêta un maillot de bain à Blue pour le toboggan aquatique, Ginny lui donna de l'argent de poche, et la petite bande quitta la maison. Les femmes nettoyèrent la cuisine, puis burent une deuxième tasse de café. Au soulagement de Ginny, Becky ne dit plus rien de désagréable sur Blue. Quelques minutes plus tard, Alan descendit, sa raquette de tennis à la main. Il attrapa une banane au passage et déclara qu'il était en retard pour son match.

— C'est lui qui m'aide à tenir le coup, pour m'occuper de papa, révéla Becky après qu'Alan fut sorti.

— Ce doit être vraiment dur pour toute la famille... Je m'en aperçois, maintenant que je suis ici. Vous êtes formidables.

— Finalement, j'ai réussi à trouver une garde-malade pour s'occuper de papa dans la journée. Sans elle, je serais prisonnière ici. Ce serait vraiment déprimant...

Becky était soulagée de se confier à sa sœur. De son côté, Ginny songeait qu'il valait mieux recevoir la balle d'un sniper plutôt que de mourir à petit feu en perdant la raison comme son père. Et dire qu'il avait été un homme si intelligent et si énergique ! Il suffisait de le regarder pour comprendre que la fin était proche. Dans l'ensemble, il ne souffrait pas, n'était cette vilaine fracture, mais il semblait si perdu...

— Les enfants sont très gentils avec lui. Même quand il ne sait plus qui ils sont, il apprécie leur compagnie. Moi-même, je ne peux pas en dire autant... Ils me rendent chèvre, ces gamins ! Non, je plaisante : ce sont de braves petits.

Ginny, elle, ne pouvait plus vanter les mérites de Chris, célébrer ses victoires de petit garçon de trois ans. Elle en souffrait cruellement.

À midi, la garde-malade arriva et Becky proposa à Ginny de sortir déjeuner. Elles se rendirent en voiture dans un petit restaurant de quartier, où elles bavardèrent comme si elles ne s'étaient jamais quittées. Après quoi elles revinrent et s'assirent au bord de la piscine. Alan était resté déjeuner au club de tennis. Quant aux enfants, ils firent leur apparition en fin d'après-midi, tout excités par leur journée au parc d'attractions. Blue déclara qu'il avait failli vomir deux fois... ce qui prouvait à quel point les manèges étaient cool ! Sur ce, ils plongèrent tous dans la piscine, y compris la copine de Charlie, qui les avait rejoints.

À l'heure du dîner, Ginny monta voir son père, mais il dormait profondément. Sur le conseil de Becky, elle ne le réveilla pas, de peur qu'il ne soit trop confus en cette heure tardive. Elle se contenta de rester là, assise à côté de lui pendant quelques instants. Il sombrait lentement, mais que faire ?

Lorsqu'elle redescendit, Alan préparait le barbecue. C'était une de leurs habitudes du samedi. Ils restèrent dans le jardin à profiter de la douceur californienne jusqu'à minuit passé. Encore une fois, Ginny remarqua que Becky buvait un peu trop de vin. Ensuite, tout le monde alla se coucher, mais Ginny se tourna longtemps dans son lit avant de s'endormir. Retrouver sa famille après tout ce temps avait quelque chose de poignant et chaleureux, mais elle ne pouvait s'empêcher de se sentir comme une étrangère parmi eux : même si la vague de reproches de la veille semblait passée, une tension demeurait.

Elle se réveilla à l'aube. Elle venait de s'asseoir devant une tasse de café, lorsqu'elle reçut un coup de fil de Kevin Callaghan. Il s'excusa de l'appeler si tôt en apprenant qu'elle était à L.A. Il croyait la trouver à New York, où il était onze heures trente.

— Que fais-tu ici, Ginny ?

— Je suis venue rendre visite à mon père pour le week-end. Il a la maladie d'Alzheimer ; je ne l'avais pas revu depuis...

Elle ne put finir sa phrase, mais Kevin avait compris.

— Oh, je suis désolé, Ginny. J'ai rencontré ton père une fois, il y a longtemps. Il était très bel homme.

— C'est vrai...

— Bon, je voulais te dire que j'ai du nouveau. J'ai appelé une de mes connaissances qui est dans la police. Elle est lieutenant dans l'unité spéciale qui s'occupe des crimes sexuels. En fait, il y a deux actions à mener. D'abord, il faut aller voir les flics pour qu'ils ouvrent une enquête. Ensuite, tu pourras t'adresser à l'archidiocèse de New York – l'Église, en somme. Mais si les flics trouvent des éléments d'enquête satisfaisants, et s'ils pensent que Blue dit la vérité, ils s'adresseront directement à l'Église à ta place. Bien souvent, il y a plusieurs dépositions contre un même prêtre. Ils ont peut-être déjà un dossier contre le type qui a agressé Blue. Les curés sont très souvent en contact avec de jeunes enfants et certains cinglés en abusent, malheureusement. Mais tu dois commencer par appeler la Brigade de protection des mineurs, qui fait partie du bureau du procureur de Manhattan, et aller les voir avec Blue pour mettre la machine en route. Vous n'aurez pas à vous confronter tout de suite à un vieux curé colérique à l'archidiocèse. D'ailleurs, il semblerait que l'Église soit devenue intransigeante et ne couvre plus ce type d'abus à la suite des derniers scandales. Donc a priori, vous devriez même bénéficier d'un réel soutien de la part de l'archidiocèse. Ça vaut vraiment la peine d'essayer. À ta place, j'irais immédiatement signaler cette ordure. Je t'envoie le numéro de la BPM par texto.

— Waouh, fit Ginny, impressionnée par toutes les informations qu'il avait récoltées en si peu de temps. Tu es un bon, Kev !

— Hé hé, merci, Ginny. Je t'ai donné les premières clés ; à toi de décider ce que tu veux faire maintenant.

— Il faut que j'en parle à Blue. Aurons-nous besoin d'un avocat ?

— Oui, mais pas tout de suite. Il faut d'abord laisser la police mener son enquête. S'ils sont convaincus, ils enclencheront la procédure pénale. Dans le cas contraire, tu pourras toujours porter l'affaire au civil, mais les chances de gagner seront bien moindres. L'idéal serait que la BPM soumette la plainte au procureur, ce qui ne t'empêchera pas d'aller en plus au civil.

— À vrai dire, je me demande si tout cela ne risque pas de traumatiser Blue...

— Sans doute pas davantage que ce qu'il a déjà vécu. En revanche, le fait que ses dires et son statut de victime soient validés pourrait l'aider à se sentir mieux. Depuis que la réalité des scandales a éclaté au grand jour, le Vatican demande à la hiérarchie catholique de coopérer avec la justice, au lieu de protéger les coupables.

— Est-ce que tu connaîtrais un bon avocat spécialisé dans ces questions ?

— Non, mais je peux chercher si tu veux. Donne-moi quelques jours. Au fait, combien de temps restes-tu ici ?

— Jusqu'à ce soir seulement. Nous prenons l'avion de nuit pour New York. Il faut que Blue retourne au collège demain, sans quoi il n'aura pas son brevet en juin.

— Ce garçon a de la chance de t'avoir dans son équipe !

— La réciproque est vraie...

— Dis-moi, si tu n'es pas trop prise par tes obligations familiales, on peut peut-être se voir pour déjeuner ?

— Je dois passer du temps avec mon père, c'est pour ça que je suis venue... Mais je pourrais sûrement m'éclipser pour prendre un café ce matin. Le problème, c'est que je suis à Pasadena.

— Je peux venir jusque-là. Je connais un endroit formidable pour déguster un croissant et un cappuccino dans le coin. Qu'en dis-tu ? J'ai très envie de te voir.

— Oui, moi aussi, répondit-elle en toute sincérité.

— Il est huit heures trente, rendez-vous dans deux heures ?

Il lui donna l'adresse du café, situé à quelques rues seulement de chez Becky. Une demi-heure plus tard, cette dernière entra dans la cuisine, et Ginny la mit au courant.

— Je ne m'absenterai qu'une heure ou deux, promis. J'ai juste envie de le voir pour parler un peu du bon vieux temps.

— Bien sûr, répondit sa sœur. Si tu veux, tu peux lui dire de passer ici.

— Non, merci, je préfère le voir au café. Comme ça, je pourrai me sauver quand j'en ai envie. Comment va papa, ce matin ?

— Comme hier... Il ne veut pas se lever, là. Je vais attendre Lucy, elle réussira peut-être à le faire bouger. Elle y arrive beaucoup mieux que moi, il l'écoute. Moi, il me connaît trop. Quand il est fatigué ou de mauvaise humeur, il dit non à tout.

Ginny monta le voir. Après quoi, elle annonça à Blue qu'elle sortait voir un ami. Le garçon ne s'en soucia pas ; il était bien trop occupé avec Lizzie. Il se sentait maintenant complètement à l'aise ici. Les enfants de Becky l'accueillaient avec beaucoup de chaleur et d'affection. Ginny en était profondément touchée.

Elle entra dans le café à dix heures trente précises. Kevin était déjà là. Impossible de le rater : il dépassait largement tous les autres hommes. Il la prit dans ses bras et la serra longuement contre lui.

— C'est si bon de te voir, dit-il, la voix chargée d'émotion.

Il se retint d'ajouter que Mark lui manquait tous les jours. Il n'arrivait toujours pas à croire qu'il n'était plus là.

Pendant une bonne heure, ils parlèrent de choses et d'autres, évoquant le travail de Kevin, la dernière femme qu'il avait fréquentée ou les missions de Ginny pour SOS/HR. Puis ils en vinrent à Blue.

— J'espère vraiment que tu vas porter plainte contre ce type, lâcha-t-il.

— J'aimerais bien, mais je vais laisser la décision à Blue. Je ne veux pas le forcer. Il lui faudra beaucoup de courage pour se retrouver face à ce prêtre au cours d'un procès.

— S'il ne le fait pas, il risque de le regretter toute sa vie. On doit arrêter ces mecs-là, sinon leur hiérarchie continuera de les muter indéfiniment, de paroisse en paroisse, en toute impunité.

Ginny opina. Mais c'était l'heure de rentrer pour elle.

— Dommage que tu ne viennes pas plus souvent, regretta-t-il.

— Fais-moi signe si tu passes à New York, répondit-elle alors qu'ils payaient leurs cappuccinos.

Il la raccompagna à sa voiture de location et promit de l'appeler dès qu'il trouverait le numéro d'un bon avocat. Sur ce, il l'étreignit à nouveau.

— Prends soin de toi, Ginny. Tu sais... il ne voudrait pas que tu risques ta vie comme ça.

La gorge serrée par les larmes, elle ne put répondre tout de suite.

— Je ne sais pas quoi faire d'autre, Kev, prononça-t-elle enfin. Il ne me restait plus rien... Maintenant, au moins, il y a Blue. Peut-être que je vais pouvoir apporter une petite amélioration dans son existence.

— Je suis certain que tu as déjà commencé, la rassura-t-il.

— Qui sait ? Peut-être aura-t-il droit à quelques dommages et intérêts ? Ce serait bien pour son avenir.

— Tu en parleras à l'avocat, mais commence par la Brigade de protection des mineurs. D'après mon amie, ce sont des gens formidables.

Elle le remercia une fois de plus, monta à bord du SUV et lui adressa un signe de la main avant de démarrer. Elle regrettait d'avoir attendu si longtemps avant de le revoir, mais jusque-là elle n'était pas prête. Sans Blue, Ginny n'aurait jamais franchi cette étape.

Les deux sœurs bavardèrent tout l'après-midi au bord de la piscine. Malgré les tentatives répétées de Lucy, la garde-malade, leur père refusait toujours de se lever. Ginny alla le voir pendant ses rares périodes de veille, mais il ne la reconnaissait plus. Elle était une étrangère pour lui. Après le dîner, elle monta une dernière fois dans sa chambre : il dormait profondément. Elle déposa un baiser sur sa joue et sortit sur la pointe des pieds, le visage baigné de larmes. Sans doute ne le reverrait-elle pas vivant... Becky avait eu raison d'insister pour qu'elle vienne.

Alors qu'ils roulaient en direction de l'aéroport, Ginny constata que Blue était pensif. Il n'avait jamais passé un tel week-end, au sein d'une famille normale et heureuse : des gens qui aimaient se retrouver ensemble et se traitaient avec des égards. Qui ne se droguaient pas, n'usaient pas de violence, ne faisaient pas de séjours en prison. Des gens qui possédaient tout ce qu'ils pouvaient désirer, y compris une piscine dans le jardin. Pour lui, c'était un véritable conte de fées.

— J'aime bien ta famille, avoua-t-il d'une voix douce.

— Oui, moi aussi, la plupart du temps... Parfois, ma sœur me tape sur les nerfs. Elle n'est pas toujours tendre, mais elle ne pense pas à mal.

En tout cas, ils avaient fini par accepter Blue : Alan s'était même engagé dans une partie endiablée de water-polo avec lui. À mesure qu'ils avaient appris à le connaître, leurs préjugés s'étaient évanouis. Becky admit que c'était un bon petit gars. Et Lizzie et Blue avaient hâte de se revoir, que ce soit à New York ou L.A. Ils s'étaient promis de s'envoyer des SMS tous les deux jours sur le portable de Ginny (cette dernière songeait à donner son vieux téléphone au garçon).

Dans la pénombre de l'avion prêt à décoller, Blue pressa la main de Ginny dans la sienne :

— Merci. C'était le plus beau week-end de toute ma vie...

Une demi-heure plus tard, il dormait. Ginny le couvrit avant de sombrer dans le sommeil à son tour. Sa mission était accomplie : elle avait dit au revoir à son père.

10

Ginny et Blue atterrirent à l'aéroport JFK à six heures quinze le lendemain matin. Ils s'installèrent dans un taxi et arrivèrent à l'appartement peu après sept heures. Tandis qu'il prenait sa douche, elle prépara le petit déjeuner, puis il partit juste à temps pour le collège. Il avait dormi pendant toute la durée du vol. La semaine s'annonçait chargée : ce matin-là, il devait passer un QCM qu'ils avaient préparé ensemble. L'entretien et l'audition à LaGuardia auraient lieu le lendemain. De son côté, Ginny devait se rendre au bureau de SOS/HR pour préparer sa prochaine mission.

Vers neuf heures, elle appela l'église Saint-François et demanda à parler au père Teddy. Elle s'excusa de ne pas se souvenir de son nom de famille : elle avait déménagé quelques années plus tôt, mais elle était de retour dans le quartier et désirait le voir. Il l'avait si bien conseillée par le passé ! L'interlocuteur de Ginny se montra très aimable. Il lui concéda volontiers que le père Teddy était un prêtre formidable.

— En revanche, je suis navré de vous apprendre qu'il a été muté à Chicago l'année dernière. Mais vous pouvez vous entretenir avec n'importe lequel d'entre nous si vous le souhaitez !

— Merci infiniment, mon père, je vais passer un de ces jours.

Elle se sentait un peu coupable de mentir à un prêtre, même pour la bonne cause.

— Mais savez-vous où je peux joindre père Teddy ? insista-t-elle. J'aimerais juste lui dire comment les choses se sont passées pour moi au bout du compte.

— Bien sûr : il est à la paroisse Sainte-Anne, à Chicago. Je suis certain qu'il sera ravi d'avoir de vos nouvelles.

— Ah, très bien. Merci encore, mon père.

Ginny voulait le rencontrer en personne, voir de ses propres yeux le monstre qui avait abusé de la confiance de Blue ! Elle ferait l'aller-retour jusqu'à Chicago dans la même journée. En avion.

Après avoir raccroché, elle se rendit au bureau de SOS/HR, où elle passa le reste de la matinée à discuter de sa prochaine affectation avec Ellen Warberg. Rien n'était encore décidé, mais l'Inde figurait en tête des destinations possibles. SOS/HR avait cessé d'envoyer des collaborateurs en Syrie, la région étant devenue trop dangereuse. Son départ aurait lieu début juin, pour une durée de deux mois seulement : à la suite de l'accident en Afghanistan, ils avaient mis en place des missions moins longues. Ginny s'en accommoderait : voilà qui lui laisserait davantage de temps pour s'occuper de Blue ! En attendant, elle ressortit du bureau sans affectation, et donc sans rapport à lire. Pas de devoirs à la maison ! Elle pouvait se consacrer à son protégé.

Ce soir-là, l'audition du lendemain occupa toutes leurs conversations. Blue comptait jouer du Chopin ; il avait pu répéter sur un piano du collège. Et au cas où le jury lui réclamerait quelque chose de plus contemporain, il avait d'autres morceaux en tête. Le trac le disputait à l'excitation ! Il reçut alors un SMS de Lizzie sur le portable de Ginny : il lui manquait, elle espérait qu'il était bien rentré à New York. En réponse, il lui envoya quelques morceaux à télécharger sur iTunes.

En ouvrant sa boîte mail, Ginny trouva un message de Kevin. Il lui donnait le nom d'un avocat et lui demandait de l'appeler, afin qu'il lui fournisse davantage de détails. De peur que Blue n'entende, elle s'isola dans sa chambre pour passer son coup de fil.

— C'est l'homme de la situation, expliqua Kevin. Un ancien prêtre jésuite, expert en loi canon. Il a passé quatre ans dans les services juridiques du Vatican. Ce genre d'affaires, c'est sa spécialité. J'ai parlé à deux avocats, qui m'ont assuré que c'était lui le plus qualifié. De plus, il est à New York !

Il se nommait Andrew O'Connor. Kevin s'était procuré toutes ses coordonnées : adresse mail, numéro de téléphone de son bureau, et portable.

— As-tu appelé la Brigade de protection des mineurs ?

— Pas encore, répondit Ginny. J'en parlerai à Blue demain, après son audition.

— Tiens-moi au courant !

Ils raccrochèrent peu après. Ginny disposait maintenant de toutes les informations nécessaires. Elle espérait pouvoir se rendre à Chicago le jeudi, afin de voir à quoi ressemblait ce père Teddy. Grâce à Kevin, le processus était enclenché.

Le lendemain, au petit déjeuner, le stress de Blue était palpable. Ginny l'accompagna en métro jusqu'à LaGuardia. Le lycée était situé dans le Lincoln Center, vaste complexe qui abritait, entre autres, l'Opéra et l'orchestre philharmonique de New York. Blue entra dans le hall, intimidé et anxieux. Il faut dire que le bâtiment était plutôt impressionnant. Des hordes de jeunes gens allaient et venaient, riant et bavardant. Çà et là, sur les tableaux d'affichage, on annonçait des castings pour les différents événements organisés par le lycée.

Ginny et Blue se dirigèrent vers la réception, où ils expliquèrent qu'ils venaient pour l'entretien et l'audition d'admission. La réceptionniste parut d'abord surprise. Mais après s'être renseignée auprès du secrétariat, elle leur adressa un grand sourire :

— Nous vous appellerons dans quelques minutes, déclara-t-elle. Asseyez-vous là, en attendant.

Ginny s'efforça de distraire Blue. On aurait dit qu'il s'apprêtait à prendre ses jambes à son cou d'un instant à l'autre. Enfin, la dame l'appela. Dans le bureau des admissions, la jeune femme qui le reçut commença par lui présenter le lycée. Elle était elle-même ancienne élève et sa scolarité à LaGuardia l'avait marquée comme l'une des plus fantastiques expériences de toute sa vie ! Elle jouait désormais dans un orchestre professionnel en soirée et travaillait au bureau des admissions trois jours par semaine.

Elle lui demanda ensuite ce qui l'avait amené à la musique. Blue répondit qu'il avait appris tout seul à jouer du piano et à lire les notes, ce qui sembla impressionner fortement son interlocutrice. Ginny, qui avait assisté à l'entretien, n'eut pas le droit, en revanche, de suivre Blue quand on le conduisit dans une autre pièce pour l'audition. On l'avait prévenue que cette partie du protocole d'admission durerait deux à trois heures ! Comme elle ne voulait pas quitter l'établissement, au cas où Blue aurait besoin d'elle, elle retourna s'asseoir dans le hall avec le livre qu'elle avait apporté. Quand, enfin, il vint la retrouver, il avait l'air exténué.

— Alors, comment ça s'est passé ? demanda-t-elle, s'efforçant de cacher sa nervosité.

— Je sais pas... Je leur ai joué mon Chopin, et ensuite ils m'ont demandé d'autres morceaux qu'ils ont choisis. Il y en avait un que je n'avais jamais joué : Rachmaninov. Après, j'ai fait le Debussy que j'avais préparé et j'ai fini par mes chansons soul de la Motown. Je ne vois vraiment pas par quel miracle je pourrais rentrer dans cette école. Les autres jouent mieux que moi, c'est obligé. Il y avait quatre profs dans la salle et ils n'ont pas arrêté de prendre des notes.

— Tu as donné le meilleur de toi-même, Blue. C'est tout ce qui compte. Il n'y a plus qu'à attendre.

Ils sortirent sur le parvis du Lincoln Center, dans la douceur du soleil de mai. Blue n'aurait pas de réponse avant le mois de juin. Le garçon était prévenu : il y avait neuf mille candidats, pour seulement 664 places ! Et très rares étaient ceux qui n'avaient pas de formation académique. Alors que Blue partait perdant, Ginny s'efforçait de rester optimiste. Elle lui acheta un sandwich, puis ils hélèrent un taxi et elle le déposa devant le collège. Blue avait un contrôle de maths dans l'après-midi. Ces derniers temps, il était soumis à une forte pression, mais tout serait fini dans six semaines. Ginny regrettait déjà de ne pas pouvoir assister à la remise de son diplôme. En effet, il était peu vraisemblable que la date de sa prochaine mission soit reportée. S'il y avait un contretemps dans une région donnée, elle serait simplement envoyée ailleurs.

Lorsque Blue rentra à l'appartement, le soir venu, il semblait encore si déprimé que Ginny décida de ne pas évoquer la Brigade de protection des mineurs avant le lendemain.

C'est finalement au dîner, le mercredi soir, qu'elle aborda la question, tentant de lui expliquer quels bénéfices il pouvait attendre d'une telle procédure. Elle lui dévoila aussi son intention de se rendre à Chicago pour enquêter sur le père Teddy.

— Mais... tu vas lui parler de moi ? s'alarma Blue. Il m'a dit qu'il me mettrait en prison si j'en parlais à quelqu'un !

— Il ne peut pas t'envoyer en prison, Blue. Absolument pas ! Tu n'as rien fait de mal... C'est lui qui finira sous les verrous si nous allons jusqu'au bout. Mais la décision te revient. C'est toi qui vois si tu veux intenter une action en justice. Moi, je soutiendrai ta décision, quelle qu'elle soit.

— Pourquoi est-ce que tu fais tout ça, Ginny ?

— Parce que je te crois, et que le père Teddy est quelqu'un de terriblement dangereux. La meilleure chose à faire est de porter plainte. Il faut empêcher les gens de son espèce de nuire davantage. Fais-moi confiance, Blue. Si je veux aller à Chicago, c'est juste pour le voir de mes propres yeux. Et je jure de ne pas lui parler de toi.

Le garçon sembla quelque peu rassuré.

— Peut-être qu'il ne fait plus ces choses-là..., avança-t-il. Tu crois vraiment que je dois le dénoncer ?

— Je pense que tu dois faire ce qui te semble juste. Tu n'es pas obligé de décider tout de suite. Prends le temps de réfléchir.

Blue opina en silence. Il passa le reste de la soirée sur le canapé, à regarder distraitement la télé et à échanger quelques SMS avec Lizzie. Il paraissait troublé, et Ginny savait qu'il était en train de passer en revue les différentes possibilités.

Le lendemain matin, il ne dit rien à ce sujet et partit au collège d'excellente humeur. Ginny sortit peu après lui, direction l'aéroport. Elle décolla à dix heures trente à destination de Chicago. Une heure après avoir atterri, elle se trouvait devant les locaux de la paroisse Sainte-Anne. Au secrétariat du presbytère, elle demanda à voir le père Teddy et on lui répondit qu'il était en train d'administrer les derniers sacrements à l'hôpital, mais qu'il serait de retour d'ici une demi-heure. Ginny prit donc un siège.

Elle attendait, l'estomac noué, lorsqu'un prêtre au visage avenant, taillé comme une armoire à glace, entra dans le bureau. Vêtu d'un simple costume noir et d'un col romain, il ne devait pas avoir beaucoup plus de quarante ans et dégageait une impression de chaleur et de bonté. Le genre de personne à qui vous auriez eu envie de confier vos soucis, autant qu'à votre meilleur ami. Il plaisanta un instant avec la secrétaire, une femme entre deux âges, puis l'écouta plus sérieusement. Soudain, il se retourna et sourit à Ginny.

— Vous souhaitiez me voir ? demanda-t-il d'un ton amène. Désolé de vous avoir fait attendre. La mère d'une de nos paroissiennes est souffrante. Une dame de quatre-vingt-seize ans qui s'est cassé le col du fémur la semaine dernière et a réclamé les derniers sacrements. Mais je suis certain qu'elle nous enterrera tous !

— Vous êtes le père Teddy ? lâcha Ginny, stupéfaite.

Elle s'aperçut alors qu'elle n'avait jamais demandé à Blue de le lui décrire. Inconsciemment, elle s'était imaginé un vieillard à l'air louche et inquiétant... pas cet homme rayonnant, énergique et débordant d'amabilité ! C'était encore plus insidieux... Elle comprenait sans peine que les enfants lui fassent confiance : à l'image de son prénom, on aurait dit un gros nounours sympathique[1].

— Oui, c'est moi-même, confirma-t-il. Voulez-vous me suivre dans mon bureau ?

Ils pénétrèrent dans une pièce agréable et ensoleillée, qui donnait sur le jardin de l'église. Des aquarelles et un petit crucifix étaient accrochés aux murs. Le père Teddy l'observa, curieux.

— Je ne pense pas vous avoir déjà vue à Sainte-Anne. Est-ce que quelqu'un m'a recommandé à vous ?

— Oui, une amie de New York. En fait, j'ai essayé de vous appeler à Saint-François, et j'ai appris que je vous trouverais ici. Je suis de passage à Chicago pour affaires, alors j'en profite pour vous rencontrer.

— C'est une chance pour moi ! susurra-t-il en lui décochant un sourire.

Tout à coup, elle comprenait pourquoi Charlene s'était tellement entichée de lui. Son petit numéro de séduction était bluffant.

— En quoi puis-je vous aider ? poursuivit-il. Désolé, je n'ai pas bien saisi votre nom.

— Virginia Philips.

C'était son nom de jeune fille.

— Êtes-vous mariée, Virginia ?

— Oui, mon père.

— J'espère que l'heureux élu mesure sa chance !

Insensible à son sourire enjôleur, Ginny lui raconta qu'elle soupçonnait son mari de la tromper.

---

1. En anglais, un *teddy bear* est un ours en peluche. (*N.d.T.*)

Elle n'avait pas envie de le quitter, mais elle était persuadée qu'il était amoureux de l'autre femme. Le père Teddy lui conseilla de prier, de se montrer patiente et aimante. Il était certain que son mari reviendrait à la raison. Selon lui, la plupart des couples connaissaient des accidents de parcours, mais si elle s'accrochait, ils s'en sortiraient. Et tandis qu'il parlait, elle s'aperçut soudain que ses yeux jetaient une lueur froide et mauvaise, qui ne cadrait pas avec son incroyable sourire. En pensant à ce qu'il avait fait à Blue, elle fut saisie de l'envie de sauter par-dessus le bureau pour l'étrangler ! Au lieu de quoi, elle dit :

— Merci beaucoup, mon père. Je ne savais vraiment pas quoi faire.

Il lui donna sa carte et lui assura qu'elle pouvait l'appeler à tout moment.

— Tenez bon, ça va passer, dit-il d'un ton chaleureux. Je suis désolé de ne pouvoir m'entretenir plus longuement avec vous, mais j'ai une réunion dans cinq minutes.

Ginny sortit du bureau et pénétra dans l'église, où elle alluma des cierges à la mémoire de Mark et Chris. Alors qu'elle était agenouillée dans une rangée du fond, elle vit le prêtre entrer par la sacristie, tandis qu'un jeune garçon surgissait de derrière l'autel. Ils parlèrent pendant quelques instants, puis le père Teddy posa une main sur son épaule. Le garçon levait vers lui des yeux éperdus d'admiration. Le prêtre ouvrit alors une porte latérale, murmurant quelque chose à l'oreille du garçon, et la referma derrière eux. Un frisson parcourut l'échine de Ginny. Qu'allait-il se passer ? Et que pouvait-elle faire ? Elle aurait voulu les poursuivre en criant et lui arracher l'enfant des mains. Mais elle risquait d'anéantir toutes ses chances de le confondre par la suite. Le garçon devait être âgé d'une douzaine d'années...

Une certitude l'envahit : son devoir était de faire en sorte que la justice mette un coup d'arrêt définitif à ce que perpétrait ce curé dévoyé, à ce qu'il avait fait à Blue et sans doute à de nombreux autres enfants. Elle n'avait jamais vu un homme aussi faux et séducteur. Comment osait-il jeter son dévolu sur des proies aussi vulnérables ?! Elle en avait la nausée. Elle sortit de l'église, trouva un taxi quelques rues plus loin et rejoignit l'aéroport. Désormais, il n'y avait plus à hésiter. Elle devait accompagner Blue à la police. La place du père Teddy Graham était derrière les barreaux. Seule l'administration judiciaire pouvait stopper ses agissements pernicieux.

11

Dans l'avion qui la ramenait à New York, Ginny ne cessait de penser à ce qu'elle avait vu à Chicago. La beauté stupéfiante de l'homme au col romain, son sourire irrésistible... et ses yeux à l'éclat glacial, qui renfermaient tant de secrets. Elle pensait surtout au garçon qu'il avait entraîné avec lui. Qui sait ce qui s'était passé derrière la porte fermée ? Elle n'avait aucune preuve, mais il semblait que le prêtre continuait à faire ce qu'il lui chantait avec les jeunes garçons de sa paroisse. Quelqu'un était-il au courant, ou nourrissait-il des doutes à son égard ? Était-ce la raison de sa mutation à Chicago ?

Lorsqu'elle arriva chez elle, épuisée physiquement et émotionnellement, Blue était déjà rentré et regardait la télé. Sans un mot, elle s'assit près de lui sur le canapé. Il sentit son trouble. Il commençait à la connaître... Pourquoi avait-elle l'air fâchée ? Et dire qu'il était si pressé de lui annoncer sa bonne note au contrôle d'histoire !

— Quelque chose ne va pas ? demanda-t-il, anxieux.

— Oui, mais ce n'est pas à cause de toi, le rassura-t-elle. Je rentre tout juste de Chicago. Je l'ai vu.

— Le père Teddy ? fit-il d'une voix blanche.

Elle acquiesça.

— Je comprends pourquoi tout le monde l'adore, avec son baratin et ses cajoleries. Et puis c'est un très bel homme. Mais il a les yeux les plus pervers que j'aie jamais vus. Maintenant, je suis convaincue à cent pour cent qu'il faut tout faire pour l'empêcher de nuire. Parce qu'il continue ses agissements, j'en suis persuadée. Soit sa hiérarchie est au courant et le change régulièrement de paroisse, soit c'est lui qui part jeter son dévolu sur de nouveaux innocents chaque fois qu'il craint d'être démasqué.

— Ma tante l'adore. Elle pense qu'il est incapable de faire du mal à une mouche. Elle ne doit pas être la seule à penser comme ça.

— Nous devons trouver un moyen de donner à ses autres victimes le courage de parler. Qu'en dis-tu, Blue, tu es partant ? Ou as-tu besoin d'un peu plus de temps pour réfléchir ? Ce ne sera sans doute pas facile. Si nous portons plainte, tu devras témoigner. Compte tenu de ton âge, le juge ne t'entendra pas devant un tribunal, mais dans son bureau, c'est déjà ça. Mais ton identité risque de filtrer. Est-ce que tu te sens de taille ?

— J'ai la trouille. Mais je crois que je peux y arriver. Tu as raison, il faut bien que quelqu'un se jette à l'eau. Je ne suis plus un gamin. Maintenant, je crois que j'aurais envie de lui en coller une s'il essayait de me toucher. Alors qu'avant, je n'étais même pas capable de lui dire que je ne voulais pas. Et je savais que personne ne me croirait... à part toi.

Il leva vers elle des yeux emplis d'amour et de gratitude. Était-ce pour cela que leurs chemins s'étaient croisés ? Afin qu'elle puisse l'aider à se libérer de son terrible fardeau ? Ginny ne supportait pas l'idée qu'il en porte les cicatrices toute sa vie. Incapacité à s'attacher et à tisser des relations, manque de confiance, dysfonctionnements sexuels, cauchemars, accès de panique... Non merci ! Elle espérait que la vérité, l'amour et la justice l'aideraient à se reconstruire.

— D'accord. Je suis partant, dit enfin Blue en la regardant droit dans les yeux.

Malgré la peur, il était résolu. Il savait que Ginny serait là pour le soutenir.

— Banco ! lança-t-elle en lui tendant la main afin de sceller leur accord. J'appellerai la BPM demain. Si tu changes d'avis d'ici là, tu ne dois pas hésiter à me le dire.

— Non, je suis sûr de moi.

Sur ce, elle se leva du canapé pour aller préparer le dîner, un dîner simple et nutritif. Elle aussi avait besoin de retrouver de bonnes habitudes alimentaires... Tous deux allèrent se coucher de bonne heure. Blue n'avait pas oublié de lui montrer son contrôle d'histoire et elle l'avait félicité. Elle n'en revenait toujours pas : du jour au lendemain, elle était devenue la mère de substitution d'un ado de treize ans. Parfois, il lui semblait qu'elle avait encore beaucoup à apprendre. Pour le moment, elle se contentait de suivre son cœur et son bon sens.

Le lendemain matin, après le départ de Blue, elle composa enfin le numéro de la BPM que lui avait donné Kevin Callaghan. Elle n'avait pas de nom, juste le numéro du standard, et c'est une femme qui décrocha. Ginny demanda si elle pouvait prendre rendez-vous pour parler à quelqu'un.

— À quel sujet ? fit la dame d'une voix lasse.

— Un cas d'attouchements répétés sur mineur, déclara Ginny.

— Un mineur de quel âge ? s'enquit son interlocutrice, qui commençait à la prendre au sérieux.

— C'est un garçon, il avait entre neuf et dix ans.

— À quand remontent les faits ? Est-il encore mineur ?

Tous les jours, ils recevaient des appels de quinquagénaires qui voulaient faire une déposition pour des abus dont ils avaient été victimes dans l'enfance. Aux États-Unis, la prescription ne s'appliquait pas dans ce type d'affaires. Cependant, même si le temps ne faisait pas disparaître les traumatismes, la BPM enregistrait en priorité les cas les plus récents.

— Il a treize ans, répondit Ginny.

— Qui est l'auteur des abus ?

— L'ancien curé de sa paroisse.

— Je vous remercie, ne quittez pas, madame.

Au bout d'un temps qui sembla interminable à Ginny, la policière reprit la ligne :

— Pouvez-vous venir sur place avec lui ?

— Bien sûr.

— Est-ce que ce serait possible aujourd'hui à seize heures trente ? Nous venons d'avoir un désistement.

— Oui, très bien. Merci beaucoup, madame.

Maintenant qu'ils avaient décidé de porter plainte, Ginny désirait en finir au plus vite. Ainsi, Blue n'aurait pas le temps de ruminer. Le timing était parfait.

— Vous avez rendez-vous avec la détective Jane Sanders, reprit son interlocutrice. Demandez-la en arrivant.

Elle lui donna l'adresse de la BPM, ainsi que les instructions pour s'y rendre. Ginny la remercia encore une fois avant de raccrocher. Elle appela ensuite Andrew O'Connor, l'ancien juriste du Vatican qui s'était spécialisé dans les affaires de pédophilie. Elle tomba sur sa boîte vocale (l'homme avait une voix plaisante...) et laissa un message. Ensuite, elle envoya un SMS à Kevin pour le tenir informé de ses démarches.

Cette première tâche accomplie, elle se plongea pendant deux heures dans la lecture des derniers rapports du Département d'État sur les points chauds de la planète : une mine de renseignements précieux. Sous peu, elle repartirait pour l'une de ces destinations à haut risque...

Elle était en train de faire une pause-café, quand son téléphone sonna. Andrew O'Connor la rappelait. La jeunesse de sa voix la surprit, étant donné son curriculum vitae impressionnant.

— Désolé, madame, j'ai manqué votre appel, s'excusa-t-il. Je n'arrête pas de courir aujourd'hui... Je suis entre deux audiences, mais je vous écoute ! En quoi puis-je vous aider ?

Ginny fut agréablement surprise par sa réactivité. Voilà qui augurait bien pour la suite de leur collaboration.

Elle alla droit au but : M. O'Connor n'avait visiblement pas de temps à perdre. Il lui posa quelques questions directes et précises, auxquelles elle répondit sur le même ton. Il parut très étonné d'apprendre qu'elle avait vu l'agresseur la veille.

— À New York ? Vous l'avez croisé dans la rue ? Ou bien vous aviez pris rendez-vous ?

— J'ai fait l'aller-retour jusqu'à Chicago afin de me forger une opinion. Je lui ai raconté que j'avais besoin de conseils matrimoniaux.

Andrew O'Connor sembla profondément impressionné. Cette femme prenait les devants, mais avec toutes les précautions nécessaires. Il appréciait son efficacité : pas de tergiversations, de chichis, ni de larmes. Elle s'en tenait aux faits.

— Et qu'en avez-vous conclu ? À quoi ressemble-t-il ? demanda l'avocat, curieux.

— À une star de cinéma. Grand, beau, incroyablement charismatique, mais avec des yeux de serpent. Il est parfait dans son propre rôle. « Père Teddy », le nounours préféré des enfants. Je suis sûre que les gamins le suivent comme le joueur de flûte du conte, et que les paroissiennes tombent sous son charme en cinq minutes. Le type le plus sympa du monde. Mais après lui avoir parlé dans son bureau, je l'ai vu dans l'église. Il a entraîné un jeune garçon dans la pièce voisine, en le tenant par l'épaule, puis il a refermé la porte. Je me suis sentie complètement impuissante, j'en suis encore malade. Quand on sait ce qu'il a fait à Blue... Il lui permettait de jouer du piano au sous-sol de l'église afin d'abuser de lui, et ensuite il le menaçait de le jeter en prison s'il parlait. Il a même trouvé le moyen de le culpabiliser !

— Laissez-moi deviner... Pour l'avoir « tenté », c'est ça ? Ce ne serait pas la première fois qu'un prêtre dévoyé use de ce stratagème. Ce type m'a l'air d'être un bel hypocrite. J'aimerais bien parler à l'enfant. Pourriez-vous venir à mon cabinet lundi à quinze heures ?

Blue devrait quitter le collège avant la fin des cours, mais Ginny estima que cela en valait la peine.

— Rappelez-moi le nom de famille de Blue ?

— Blue Williams. Et je suis Ginny Carter.

— Votre voix et votre nom me disent quelque chose... Est-il possible que je vous aie vue à la télé ? Ma sœur habite à L.A., et je me souviens qu'il y avait là-bas une journaliste du même nom. Je suivais toujours ses reportages quand j'y allais.

— Oui, c'était moi, avoua Ginny d'une petite voix.

— Ah ! c'est ça ! Votre mari et vous formiez une sacrée équipe pour présenter les infos.

— Merci. Une belle équipe, c'est vrai.

— Mais on ne vous voit plus à la télé, si ?

— Mon mari est mort il y a trois ans et demi.

— Oh ! toutes mes excuses ! Si j'avais su, je n'aurais jamais évoqué le sujet... mais je vous aimais beaucoup !

— C'est gentil de votre part, répondit-elle simplement.

Andrew O'Connor avait maintenant encore plus confiance en la véracité de ses dires. Elle était précise et factuelle, elle n'exagérait ni n'enjolivait rien. Il lui serait d'autant plus facile de défendre sa cause et celle de son protégé.

— Alors à lundi, conclut-il avant de raccrocher.

Lorsque Blue rentra de l'école, elle lui annonça qu'ils avaient rendez-vous avec la police. Il fut d'abord parcouru d'un frisson, mais il acquiesça. Dans sa vie d'avant, une rencontre avec la police n'augurait rien de bon...

Ils prirent le métro vers le sud de Manhattan et arrivèrent juste à l'heure. À l'accueil, Ginny demanda à s'entretenir avec la détective Sanders. Une très belle femme vint les saluer quelques minutes plus tard. Elle avait de longs cheveux roux et de grands yeux verts. Au grand soulagement de Blue, elle ne ressemblait en rien à un flic. Elle ne portait pas d'uniforme, mais un tailleur à jupe courte. Il y avait juste une paire de menottes attachée à sa ceinture... Et Ginny devina un holster dissimulé sous sa veste.

— Bonjour, Blue, dit-elle d'un ton aimable.

Alors qu'ils s'asseyaient dans son bureau, elle leur proposa quelque chose à boire. Encouragé par son style sympathique et sans façon, Blue demanda un Coca.

— Je me doute que c'est un peu stressant pour toi, de venir ici..., reprit-elle.

La jeune femme s'adressait directement à lui, ce que Ginny apprécia.

— Mais nous sommes là pour t'aider, et je t'expliquerai ce qui se passe à chaque étape. Il faut arrêter et punir les individus qui font du mal aux enfants, en quelque façon que ce soit : c'est nécessaire pour tout le monde, y compris pour eux-mêmes. Tu as fait le bon choix en venant nous voir. Est-ce que c'est ta maman ?

La détective s'était tournée vers Ginny.

— Non, c'est une amie, dit-il en adressant un sourire à cette dernière.

— Il habite chez moi, expliqua Ginny.

— Mère adoptive ?

— Non, je l'héberge de temps en temps. Il a une tante qui est sa tutrice légale.

— Très bien. Cela ne change rien pour ce qui nous occupe aujourd'hui.

Jane Sanders voulait seulement savoir à qui elle avait affaire. Elle n'avait besoin de la permission de personne pour prendre la déposition de l'enfant.

— Blue, reprit-elle, est-ce que tu veux bien me dire ce qui s'est passé ? D'abord, quel âge avais-tu ?

— Neuf ans, ou à peine dix. J'habitais chez ma tante, au nord de Manhattan. Et le curé de notre église, père Teddy, m'avait dit que je pouvais jouer du piano au sous-sol. Au début, il m'écoutait jouer, et parfois il s'asseyait à côté de moi. C'est là qu'il l'a fait.

— Et qu'a-t-il fait ?

La détective parlait avec simplicité et douceur. Dans sa bouche, cette question paraissait toute naturelle, et Blue ne se sentit même pas gêné d'y répondre. On ne pouvait qu'admirer son professionnalisme.

Elle lui demanda ensuite de préciser tous les détails, les endroits précis et la façon dont il l'avait touché. Lui avait-il fait mal ? Lui avait-il demandé de défaire son pantalon ? Blue répondit par la négative. En revanche, les faits s'étaient répétés, encore et encore, et, à chaque fois, le prêtre allait un peu plus loin, jusqu'au jour où Blue avait eu peur qu'il n'en demande davantage, et c'est à ce moment qu'il avait cessé d'aller jouer du piano. Le curé avait essayé de le faire revenir, puis, comme Blue refusait, il l'avait à nouveau menacé. S'il parlait, la police l'arrêterait. Et Blue l'avait cru, dur comme fer.

Ginny réalisa que les abus avaient été beaucoup plus fréquents qu'elle ne l'avait d'abord compris : Blue ne lui avait pas tout dit...

Puis, de son ton à la fois factuel et bienveillant, la policière lui demanda :

— Est-ce qu'il t'a demandé de le toucher ?

Blue hésita un long moment et finit par hocher la tête.

Ginny eut du mal à imiter le calme olympien de la détective. Elle n'avait même pas pensé à poser une telle question et la réponse muette de Blue l'horrifiait.

— Parfois, murmura le garçon, les yeux baissés.

— Est-ce qu'il a menacé de te faire mal si tu ne le touchais pas ?

— Il a dit que c'était de ma faute s'il était dans cet état-là, parce que je l'avais tenté, et que ça lui faisait mal, donc c'était à moi de le soigner. Et si je ne le faisais pas, il ne me laisserait pas revenir et il dirait à ma tante que j'avais volé dans le panier de la quête, mais c'était pas vrai.

— Et comment est-ce qu'il te demandait de le soigner ?

Ce que décrivit Blue, après un long silence, n'était autre qu'une fellation. Horrifiée par ce qu'avait subi l'enfant, Ginny retenait ses larmes à grand-peine.

— Est-il arrivé qu'il te fasse la même chose ?

Cette fois, Blue secoua la tête. Puis il glissa un regard en direction de Ginny, qui pressa la main du garçon dans la sienne et lui adressa un sourire. Il faisait vraiment preuve de beaucoup de courage.

— Tu sais, Blue, poursuivit la détective, si nous portons plainte contre le père Teddy, tu n'auras pas à l'affronter au tribunal. Le juge lira ta déposition après t'avoir auditionné dans son bureau. Tu vois, tu n'as plus rien à craindre, maintenant. Le père Teddy appartient au passé. Un jour, tu seras capable d'oublier ce que cet homme t'a fait subir. Il n'avait pas le droit de le faire, et il doit être puni. Souviens-toi que rien de tout cela n'est de ta faute. C'est celle d'un homme très malade dans sa tête, qui a abusé d'un petit garçon, et peut-être de nombreux autres petits garçons. Mais tu ne seras jamais obligé de le revoir.

À ces mots, tout le corps de Blue sembla se détendre. Sa principale inquiétude venait de se dissiper.

— Penses-tu qu'il ait fait la même chose à certains de tes camarades ? As-tu entendu quelqu'un en parler ?

— Jimmy Ewald le détestait aussi, comme moi. J'avais la trouille de lui demander pourquoi, mais peut-être que c'était ça. Sinon, je n'ai entendu personne d'autre. Peut-être qu'ils avaient peur de parler... Moi non plus, je n'ai rien dit, même pas à Jimmy. Lui, il était en cinquième, moi j'étais tout petit.

Jane Sanders hocha la tête. Rien de ce qu'avait raconté Blue ne la surprenait.

— Tu te souviens à quoi il ressemble ? Crois-tu que tu serais capable de le reconnaître ?

— Genre, dans une séance d'identification, comme dans *New York, police judiciaire* ?!

Les deux femmes ne purent s'empêcher de rire.

— Oui... ou sur une photo, tout simplement ?

— Bien sûr que j'en serais capable.

C'est alors que Ginny prit la parole pour raconter son entrevue de la veille avec le prêtre. Comme la détective s'étonnait, elle expliqua qu'elle avait été reporter et avait l'habitude d'enquêter.

— Avant de repartir, ajouta-t-elle, je l'ai vu entrer dans une pièce avec un jeune garçon.

Blue ne put réprimer un tressaillement, et Ginny décela un spasme sur le visage de la policière. Avec ses collègues, Jane Sanders n'avait pas de mots assez durs contre ces « pervers », qui méritaient selon elle de finir châtrés. Elle ne laissait cependant jamais filtrer sa colère devant les victimes.

— Tu as été formidable, Blue. Tu m'as beaucoup aidée. À présent, nous allons mener l'enquête avec toute la prudence et la discrétion nécessaires, afin de savoir si quelqu'un d'autre est au courant ou s'est plaint de lui à la paroisse. Je doute que tu sois le seul à qui c'est arrivé, Blue. Mais même si c'est le cas, même s'il ne l'a jamais fait avant et s'il n'a jamais recommencé, c'est extrêmement grave. En tout cas, moi, je te crois sur parole. Quand nous aurons réuni toutes les preuves, nous porterons plainte et nous l'arrêterons. Et si nous faisons notre boulot correctement, il ira en prison. C'est un travail méticuleux, qui prendra un peu de temps. Il faudra que tu sois patient. Mais nous resterons en contact avec toi, ainsi qu'avec Ginny. Pour l'instant, je vais taper une déposition à partir de tout ce que tu m'as raconté et l'imprimer. Si je me trompe sur quoi que ce soit, tu dois me le dire et je corrigerai. Ensuite, tu pourras signer, le dossier sera ouvert et ce sera fini pour aujourd'hui.

Jane Sanders annonça qu'elle revenait d'ici quelques instants et se leva en souriant. Ginny la regarda travailler par la vitre dans la pièce voisine. La détective tapait de mémoire : afin de se concentrer sur ce que disait Blue, elle n'avait pas pris de notes. Au bout de cinq minutes à peine, elle revint dans le bureau et tendit le document au garçon en lui recommandant de lui signaler la moindre erreur. Quand il eut terminé, il affirma qu'elle n'avait rien déformé ni oublié. Elle lui demanda ensuite de jurer qu'il avait dit toute la vérité, après quoi il signa le papier. Ginny ne connaissant pas les protagonistes au moment des faits, elle n'avait rien à ajouter. Enfin, Jane Sanders les remercia d'être venus et les raccompagna à la porte, non sans avoir noté leurs e-mails et le numéro de portable de Ginny.

Dans l'ascenseur, cette dernière scruta le visage défait de Blue. Après cet entretien éprouvant, tous deux se sentaient littéralement épuisés. Ginny avait néanmoins le sentiment que tout s'était bien passé.

— Ça va aller ? demanda-t-elle au garçon.

— Ouais. Elle est sympa, répondit-il d'une petite voix, avant de lever ses yeux tristes vers elle. Tu ne m'en veux pas ?

Il culpabilisait de ne pas lui avoir tout dit.

— Bien sûr que non, Blue ! Pourquoi t'en voudrais-je ? Ce qui compte, c'est que tu aies pu tout raconter aujourd'hui. Tu es la personne la plus courageuse que je connaisse. Et j'espère que le père Teddy restera en prison pendant très longtemps.

Sur ce, elle le prit par la main. Alors qu'ils sortaient de l'ascenseur, puis du bâtiment, et qu'ils se dirigeaient vers la bouche de métro, le jeune garçon se remit peu à peu à parler, à rire… à vivre.

La déposition de Blue à la main, Jane Sanders entra d'un pas rageur dans le bureau de son lieutenant, Bill Sullivan. On aurait dit qu'elle avait envie de tuer quelqu'un. Cette affaire n'était guère différente des autres, mais elle en avait plus qu'assez de l'entendre se répéter indéfiniment. Ses collègues lui réservaient toujours ce type de dossiers. Il faut dire qu'après une formation en psychologie et soutien aux victimes, elle savait mieux que personne mettre les enfants en confiance et leur poser les bonnes questions. Et elle finissait immanquablement par pincer le coupable.

— Tu as l'air furax... Qu'est-ce que tu nous amènes là ? lâcha son supérieur hiérarchique. Un bon petit tueur en série ?

— Je me demande si je n'aurais pas préféré ça... *Encore* un curé ! J'en ai plus que marre de ces types ! Pourquoi est-ce qu'on ne les vire pas une bonne fois pour toutes ? On se contente de les déplacer, comme des pions sur l'échiquier. Ils salissent le nom de l'Église !

— Le dossier est solide ? s'enquit Bill.

— Comme du béton. Le gamin dit vrai, j'en mettrais ma main à couper. Et j'ai bien peur de ne pas avoir à creuser beaucoup pour trouver d'autres témoins.

— Alors fonce, ma petite Jane !

— Ne t'inquiète pas, je suis déjà sur le coup.

Elle plaça devant lui un exemplaire de la déposition, puis regagna son propre bureau. La chasse au pédophile était officiellement ouverte.

12

Leur entrevue avec Andrew O'Connor se déroula très différemment de leur visite à la Brigade de protection des mineurs. Afin que Blue n'ait pas à répéter son lourd témoignage, Ginny tendit sa déposition à l'avocat. Il la lut attentivement, puis leva les yeux vers eux, l'air grave. C'était un homme de haute taille, à l'air aristocratique, et bien qu'il fût vêtu d'un jean et d'une chemise bleue aux manches retroussées, cette dernière était parfaitement coupée et ses chaussures reluisaient. Plusieurs tableaux – probablement hors de prix – étaient accrochés aux murs, ainsi que ses diplômes de Harvard. Son attitude et sa prestance laissaient deviner qu'il était issu d'une grande famille. Difficile de s'imaginer qu'il avait été prêtre dans une vie antérieure ; Ginny le voyait plutôt en banquier ou diplomate.

— Je connais Jane Sanders, leur dit-il. C'est la personne qu'il vous faut pour mener ce type d'enquête. J'ai travaillé à plusieurs reprises avec elle et nous n'avons jamais perdu un seul procès. Ce prêtre ne m'a pas l'air bien subtil, les preuves ne seront sans doute pas très difficiles à trouver. J'ai peur que tu ne sois qu'une victime parmi d'autres, Blue, peut-être beaucoup d'autres. Si nous arrivons à prouver que l'archidiocèse l'a muté à Chicago en connaissance de cause, ce que je soupçonne fortement, alors nous gagnerons. Le Vatican a sévèrement condamné ce type de pratiques, mais il y a encore des évêques et cardinaux qui couvrent les curés déviants. La loi canon est pourtant univoque sur ce point : ils sont tenus de les dénoncer aux autorités.

Andrew O'Connor s'interrompit un instant pour fixer Blue et s'assurer qu'il avait bien compris.

— Bon... Dans un premier temps, donc, nous le ferons arrêter, afin que justice te soit rendue, ainsi qu'à tous ceux à qui il a causé du tort. Ensuite, j'aimerais que tu perçoives une compensation, sous forme de dommages et intérêts. Certains de mes clients ont obtenu de coquettes sommes, à la hauteur du préjudice subi.

— Ça veut dire quoi ? demanda Blue.

— Quand quelqu'un commet un acte aussi grave, expliqua l'ancien jésuite, il faut d'abord essayer de l'envoyer en prison. Ça, c'est le travail de la police. Mais ensuite, il est possible de poursuivre cette personne au civil afin de toucher de l'argent. Un peu pour réparer ce que tu as enduré, Blue. C'est là que j'interviens.

— Vous voulez dire qu'on va me payer pour ce qu'il m'a fait ? Franchement, je ne vois pas le rapport.

— Dans un sens, il n'y en a aucun, tu as raison. Cela ne changera rien à ce que tu as enduré. Et dans le cas de gens qui ont été blessés physiquement, ce n'est pas cela qui les guérira. Mais cet argent peut être le bienvenu en cas de coup dur... Ici, dans ton cas, ce serait à l'Église catholique de payer. Bien sûr, il est impossible d'évaluer monétairement le tort causé, le traumatisme subi. En revanche, c'est un peu comme si le système judiciaire forçait les coupables à demander pardon. La société prouve qu'elle croit la victime et qu'elle n'est pas indifférente à ce qui lui est arrivé.

Blue ne semblait toujours pas à l'aise avec cette idée.

— Tu sais, insista l'avocat, tu seras peut-être content un jour d'avoir de l'argent à la banque : pour faire des études, pour fonder ta propre entreprise, ou pour t'aider à acheter une maison. Ou même pour tes enfants. C'est une façon de compenser pour ton innocence perdue et ta confiance trahie.

Blue leva vers Ginny un regard interrogateur.

— Tu trouves que c'est normal, toi ?

— Oui, Blue. Tout le monde sait ou devrait savoir combien ce que tu as subi est traumatisant. Ce n'est pas de l'argent volé. Tu y as droit, c'est une réparation. Une façon pour l'Église de te dire qu'elle s'excuse pour le mal que le père Teddy t'a fait.

Cette formulation parut plus acceptable au jeune garçon.

— Exactement, renchérit Andrew O'Connor. L'État envoie le père Teddy en prison, et l'Église te présente ses excuses, sous la forme d'un cadeau. Parfois un très gros cadeau. Elle en a les moyens...

Blue était songeur. Il ne voulait pas d'argent sous prétexte qu'il avait laissé le père Teddy lui faire quelque chose d'interdit. Quelque part, il savait que c'était mal ; c'était juste qu'il avait trop peur pour l'en empêcher. Et si le père Teddy avait raison, quand il disait qu'il l'avait tenté ? Il ne l'avait pas fait exprès, ça non, mais n'empêche...

— J'aimerais collaborer avec Jane Sanders sur cette enquête, reprit l'avocat. Et de notre côté, nous pouvons engager un détective privé, afin d'être certains de ne laisser passer aucune preuve. Je préparerai le dossier pour le procès au civil en parallèle. De cette façon, nous devrions toucher les dommages et intérêts dès que l'inculpation sera prononcée.

Ginny savait que la procédure ne s'annonçait pas aussi facile qu'Andrew O'Connor le suggérait. On ne pouvait parier avec certitude sur la bonne volonté et la coopération de l'Église. Mais Ginny avait envie de croire à ce scénario optimiste.

— Et une fois que l'État aura porté plainte et que l'affaire sera publique, je veux envoyer une lettre à tous les membres de la paroisse (ceux d'aujourd'hui, mais aussi ceux de l'époque et encore avant), et des autres paroisses par lesquelles il est passé. Nous verrons si des victimes sortent de l'ombre. Certaines personnes ne veulent pas se lancer dans un procès, ou elles ont trop honte que l'on sache ce qui leur est arrivé. Mais beaucoup se décident quand elles apprennent qu'il y a eu d'autres victimes. En général, ces types-là ne se contentent pas de sévir une fois ou deux. Dans l'un de mes dossiers précédents, nous avons recensé quatre-vingt-dix-sept victimes. Soixante-seize d'entre elles ont accepté de témoigner. Et elles ont toutes eu droit à des dommages et intérêts importants.

— Quels sont vos tarifs, monsieur O'Connor ? s'enquit alors Ginny.

Elle supposait qu'il facturait des honoraires conditionnels : il prélèverait sans doute un pourcentage si Blue touchait des dommages et intérêts, tandis qu'ils n'auraient rien à payer si l'avocat perdait le procès. Mais mieux valait s'en assurer.

— J'estime que la poursuite des prêtres pédophiles est un moment important de notre histoire, en tant qu'êtres humains et en tant que catholiques. C'est une plaie béante qu'il convient de refermer. Ceux d'entre nous qui, comme moi, ont foi en une Église intègre, doivent montrer la voie. C'est pourquoi je défends les dossiers de ce genre *pro bono*. Même si je dois plaider, je ne réclamerai pas de pourcentage. En d'autres termes, mon travail sur cette affaire est entièrement gratuit.

Blue trouva que c'était bien gentil de sa part. Ginny, elle, fut bluffée : les frais judiciaires pouvaient atteindre des sommes astronomiques, surtout quand des dommages et intérêts étaient en jeu.

— Vraiment ? Mais comment faites-vous ? demanda-t-elle.

— Je le fais, c'est tout. Je me paie sur d'autres dossiers. Pour moi, il est primordial de montrer qu'il y a encore des gens bien qui s'impliquent dans l'Église d'une façon ou d'une autre. Voyez-vous, j'ai été prêtre moi-même. J'ai quitté le sacerdoce pour des raisons qui m'appartiennent, mais je ne peux accepter de tels crimes. C'est ma pierre à l'édifice : je défends ceux qui en ont besoin et je le fais gratuitement. Je ne veux pas que l'on me soupçonne de défendre les victimes par intérêt personnel. C'est Blue que l'on a abîmé, pas moi. À l'archidiocèse, on me connaît bien, mais on ne m'aime pas…

Il adressa à Ginny un sourire tranquille.

— Je ne suis pas tendre. Je n'ai jamais perdu un seul de ces procès, et ce n'est pas aujourd'hui que je vais commencer. Le glaive de la Vérité est puissant – on va s'en servir pour couper la tête de ce père Teddy, hein, Blue ? ajouta-t-il en se tournant vers lui.

Ginny s'abstint de proposer une solution moins violente… Andrew O'Connor fut surpris d'apprendre qu'elle n'était pas la tutrice légale du jeune garçon et confirma que Charlene devrait venir signer des papiers à un moment ou à un autre.

— Je suis certaine que cela ne posera pas de problème, affirma Ginny.

Satisfait, l'avocat hocha la tête et commença à leur exposer son plan de bataille. Il allait prendre contact avec son détective habituel, lequel était passé maître dans l'art de grappiller ragots, rumeurs et soupçons dans les paroisses. Bien souvent, il découvrait d'autres victimes. En parallèle, O'Connor resterait en étroite collaboration avec Jane Sanders. Et quand l'État de New York (et sans doute d'autres États...) porterait plainte, il intenterait un procès au civil et réclamerait des dommages et intérêts à l'Église. Une fois le père Teddy inculpé, la victoire leur serait acquise. La seule question serait celle du montant de la compensation. Mais il y avait encore beaucoup de chemin à parcourir avant d'en arriver là. Andrew O'Connor estimait que l'ensemble du processus durerait environ un an. En cas de procès proprement dit, ce serait encore plus long, mais il ne croyait pas à cette éventualité. Si les preuves se révélaient suffisantes, l'archidiocèse n'avait pas intérêt à soutenir le père Teddy : l'Église ferait probablement amende honorable.

Tandis qu'ils parlaient, Andrew O'Connor ne cessait d'observer Ginny. Elle différait beaucoup de son ancienne image à la télévision. Elle semblait plus calme, plus mystérieuse... Mais toujours aussi belle, bien qu'elle ne portât pas de maquillage. Ses yeux dégageaient toutefois une profonde tristesse, même quand elle riait. Son regard ne s'éclairait que lorsqu'elle s'adressait à Blue. Elle devenait alors lumineuse.

De son côté, alors qu'il les raccompagnait à la porte, Ginny le trouvait extrêmement distingué. En dépit de ses tempes grisonnantes, il paraissait encore jeune, dans les quarante ans environ. Elle se souvint que les Jésuites constituaient l'élite intellectuelle de l'Église. Puisqu'il avait travaillé au service juridique du Vatican, il devait être particulièrement brillant. Elle se sentait aussi en confiance avec lui qu'avec Jane Sanders : le dossier de Blue était entre de bonnes mains. Sur le chemin du retour, le garçon déclara que l'avocat lui avait fait une impression très positive, même si l'idée des dommages et intérêts continuait de le perturber. Pour Ginny, c'était plutôt bon signe : Blue était prêt à témoigner pour que la justice soit rendue, non pour toucher de l'argent.

Ce soir-là, elle appela Kevin Callaghan pour le remercier de ses bons tuyaux.

— Andrew O'Connor est extraordinaire ! Il a beaucoup plu à Blue aussi. On dirait que c'est une star du barreau dans son domaine, et j'ai failli tomber de ma chaise quand il nous a dit qu'il traitait ce type de dossiers *pro bono*.

— Waouh, c'est extraordinaire, en effet.

— Il semble être attaché à toutes les valeurs du jésuitisme. Il veut juste éjecter les mauvais prêtres.

Peu après, Ginny reçut un appel de sa sœur. Chaque fois qu'elle voyait apparaître le numéro de Becky, elle se préparait à recevoir de mauvaises nouvelles...

— Comment va papa ? demanda-t-elle aussitôt.

— À peu près pareil que quand tu es venue. Il y a des hauts et des bas. Certains jours, il ne se lève plus du tout.

Le vieil homme était comme la flamme d'une bougie, qui vacillait lentement avant de s'éteindre.

— Et toi, comment s'est passée ta semaine ? s'enquit Becky.

— Épuisante, je n'ai pas arrêté de courir...

— Ah oui ? Qu'est-ce que tu as fait ?

— J'ai aidé Blue, ou plutôt : j'ai commencé à l'aider. Il a dû faire face à une situation vraiment difficile.

— Un problème à l'école ?

Ginny hésita, puis elle se dit que la nouvelle ne tarderait pas à s'ébruiter, de toute façon...

— Non, ce n'est pas ça, répondit-elle enfin. Il y a trois ans, Blue a subi les attouchements d'un prêtre. J'ai décidé d'agir, en accord avec lui, bien sûr. La semaine dernière, nous sommes allés à la Brigade de protection des mineurs et aujourd'hui nous avons rencontré un avocat habitué à plaider ce genre de causes contre l'Église. Tout cela est assez pesant, mais je pense qu'à terme ce sera une bonne chose pour Blue. C'est une façon de reconnaître son statut de victime, de lui dire que quiconque lui a fait du mal ne s'en tirera pas à si bon compte. Et de lui faire comprendre qu'il y a des gens bien qui se soucient de lui.

Il y eut un silence.

— Oh, mon Dieu..., finit par lâcher Becky.

Ginny supposa qu'elle était choquée d'apprendre ce que Blue avait traversé.

— Je n'arrive pas à croire que tu puisses faire une chose pareille ! Tu t'en prends à l'Église, maintenant ? Et comment sais-tu qu'il dit la vérité ?

Il est vrai que de fausses accusations avaient ruiné la vie de prêtres parfaitement honnêtes. C'était le revers de la médaille. Mais Ginny était certaine que ce n'était pas le cas avec Blue. Sa souffrance ne mentait pas.

— J'en ai la certitude absolue, rétorqua-t-elle.

— Il ne serait pas le premier gamin à raconter n'importe quoi... Tu es complètement dingue, de t'embringuer là-dedans. Ce n'est pas ton enfant, tu le connais à peine, et voilà qu'à cause de lui tu vas attaquer l'Église catholique ! Qu'est-ce qui te prend ? Tu ne crois plus en Dieu, ou quoi ?

Ginny était sous le choc.

— Bien sûr, que j'ai foi en Dieu. Ça n'a rien à voir avec les prêtres qui abusent de leur autorité pour tripoter ou violer des petits garçons. Il ne faut pas tout mélanger ! Et qui va prendre la défense de Blue si je ne le fais pas ? Il n'a personne, Becky. Pas de parents, aucun adulte qui se préoccupe de lui. Sa tante ne veut même pas le voir : elle vit avec trois enfants dans un deux-pièces, et son mec lui tape dessus. Tu ne comprends donc pas que Blue est tout seul ? Peut-être que tu t'en fiches complètement, mais pas moi !

— Oh, pour l'amour de Dieu, Ginny... arrête de te prendre pour Jeanne d'Arc ! S'attaquer à la foi dans laquelle tu as été élevée est sacrilège et immoral ! Grâce au ciel, papa ne le saura jamais !

Leurs parents étaient des catholiques pratiquants, et les deux sœurs les accompagnaient à la messe du dimanche quand elles étaient petites. Aujourd'hui, Becky et Alan ne s'y rendaient que de façon occasionnelle. Pourquoi Becky se sentait-elle obligée de prendre la défense d'un prêtre qu'elle ne connaissait pas, alors même que c'était lui qui avait bafoué la sainteté de l'Église ?

— Ce n'est pas sérieux, Ginny, il est encore temps de revenir sur ta décision, la sermonna Becky.

— Quoi ? Et dire à Blue que ce n'est pas grave s'il a subi des attouchements, que ce curé est un type bien ? Cet homme a sa place en prison. Je suis sûre qu'il a fait beaucoup d'autres victimes. Moi-même, je l'ai aperçu avec un gamin la semaine dernière.

— Comment ça ? Tu l'as espionné ?!

Une fois de plus, l'indignation de Becky était complètement hors sujet... Pourquoi ne lui faisait-elle pas confiance ? Pourquoi la critiquait-elle tout le temps ?

— Non, je suis juste allée le voir dans sa nouvelle paroisse à Chicago. Ce type est un arnaqueur de première.

— Et toi, qui es-tu ? Je n'aurais jamais cru que je verrais le jour où ma sœur s'attaquerait à l'Église catholique.

— Il faut que ces hommes soient démasqués, Becky. Qu'on les empêche de nuire. Ce sont des pédophiles, ils méritent la prison.

— Blue n'est pas en souffrance. Il m'a l'air d'être un gamin heureux et en bonne santé. Ce n'est pas le premier à qui ça arrive – il s'en remettra. Quant à toi, tu n'as pas besoin de partir en croisade, tu ne parviendras qu'à te ridiculiser !

— C'en est trop..., proféra Ginny entre ses dents. Que faudrait-il faire, selon toi ? Laisser les prêtres corrompus à leur poste ? Les cacher ? Tout oublier ? C'est ce qu'a fait la hiérarchie catholique pendant si longtemps, et ça n'a pas vraiment amélioré la situation.

— Leur ministère est sacré, répliqua Becky, glaciale. Dieu te punira si tu t'en mêles.

— Il me punira bien davantage – et ma propre conscience aussi – si je n'aide pas Blue à faire valoir ses droits ici-bas.

— Pourquoi tu ne reprends pas ta propre vie en main, au lieu de recueillir tous les chiens sans collier ? Reste en place deux minutes, Ginny. Trouve-toi un boulot digne de ce nom, rencontre des hommes, va chez le coiffeur de temps en temps et essaie de redevenir normale ! Et pour l'amour de Dieu, fais preuve d'un minimum de respect envers les prêtres !

— Merci pour les conseils, vraiment ! cracha Ginny en lui raccrochant au nez, tremblante de colère.

Quelques minutes plus tard, Blue apparut en pyjama, perplexe.

— C'était qui ? Je t'ai entendue crier pendant que j'étais sous la douche.

Par chance, il n'avait pas compris ce qu'elle disait.

— Becky. On s'est disputées. C'est idiot, mais ça arrive, entre sœurs. Elle trouve que je ne fais pas ce qu'il faut. Elle m'a dit que je devrais aller plus souvent chez le coiffeur.

Blue contempla sa longue chevelure blonde et haussa les épaules, dépassé par le mystère féminin.

— Tes cheveux m'ont l'air très bien.

— Merci, Blue.

Elle ne regrettait pas une seule seconde de le soutenir dans cette bataille. Et contrairement à ce que lui reprochait Becky, il s'agissait bien de respecter et de défendre l'Église catholique... en condamnant les prêtres qui lui faisaient outrage. Elle avait pourtant passé un si bon moment avec sa sœur à L.A... presque comme au bon vieux temps. Et voilà que Becky était plus remontée que jamais, prête à défendre l'indéfendable. Ginny était furieuse, mais ce conflit lui fit comprendre que d'autres personnes risquaient de diriger leur colère contre elle et Blue. Des personnes qui préféraient fermer les yeux et prétendre que le clergé était infaillible. Pour sa part, elle préférait se mettre au service de la vérité, dénoncer le mal et obtenir la justice pour les victimes innocentes. Et tant pis si sa sœur ne l'approuvait pas. Ginny était convaincue d'être dans le vrai.

13

Le lendemain, Becky envoya un SMS à sa sœur, où elle campait sur ses positions. Ginny ne lui répondit pas. À ses yeux, il ne s'agissait même pas d'un différend : le point de vue de Becky était honteux et indéfendable.

Elle avait rendez-vous ce mardi-là au bureau avec Ellen Warberg. Après une longue réflexion, et en collaboration avec d'autres organisations internationales de défense des droits de l'homme, SOS/HR avait décidé de reprendre son action en Syrie et d'y envoyer Ginny avec quelques autres. La Croix-Rouge était très présente dans le pays, et SOS/HR n'avait jamais adopté de position partisane, ce qui protégeait ses employés dans une certaine mesure. Bien sûr, c'était une zone à haut risque, mais au premier signe d'embrasement, Ginny pourrait rentrer de son propre chef, et de leur côté, ils la rapatrieraient immédiatement s'ils avaient vent d'un quelconque danger. Ginny se sentait en confiance, SOS/HR ne l'avait jamais laissée tomber. En revanche, elle s'inquiétait pour Blue. Elle avait accepté de partir en Syrie, mais elle voulait reconsidérer le type de missions qu'elle ferait à l'avenir. Sa vie avait changé.

La situation en Syrie était alarmante. Dès l'âge de quatorze ans, les jeunes garçons pouvaient être incarcérés sans motif apparent, torturés et même violés. Les survivants en ressortaient brisés et mutilés, physiquement et psychologiquement. Même les plus jeunes n'étaient pas à l'abri. La Croix-Rouge avait établi deux camps régis par des équipes internationales. SOS/HR envoyait deux de ses collaborateurs dans chacun. Comme c'était une mission particulièrement difficile, elle serait plus courte que d'ordinaire : huit semaines au maximum. Ginny serait donc de retour début août. Tant mieux. Ainsi, elle ne serait pas séparée de Blue trop longtemps.

— Je pars dans une semaine, annonça-t-elle à ce dernier, le soir venu. Ce qui signifie, comme je le craignais, que je ne pourrai pas assister à la remise de ton brevet. La bonne nouvelle, c'est que je rentrerai un mois plus tôt que prévu. Je te donnerai un téléphone portable avant de partir. Il faut que tu restes joignable pour Jane Sanders et Andrew O'Connor. Pour ma part, je pense que je n'aurai pas beaucoup de réseau depuis le camp. Je veux que tu restes à Houston Street. Je sais que ça ne te plaît pas, mais c'est seulement pour huit semaines.

— Mais pourquoi est-ce que je ne pourrais pas rester ici ? demanda-t-il, profondément déçu de la voir repartir.

— Tu ne peux pas vivre tout seul à ton âge. Et si tu tombais malade ?

(*Et si un travailleur social te découvrait ?* songea-t-elle sans le dire.)

— Personne ne s'occupait de moi quand je tombais malade dans la rue, répliqua-t-il.

— C'est vrai, mais je serai plus rassurée de te savoir dans un environnement encadré, avec d'autres jeunes et l'aide des adultes.

— Je déteste cet endroit, assena-t-il, les bras croisés, calé au fond de sa chaise.

— Ce n'est que pour huit semaines, Blue ! Je serai ici pendant presque tout le mois d'août et ils ne me donneront pas d'autre mission avant septembre. Mais si tu t'avises de fuguer, je te jure que je te passerai un sacré savon à mon retour ! Je te ligoterai à ton lit, je cacherai tes Converse préférées, je… Enfin, il faut que je réfléchisse, mais ce sera terrible !

Blue sourit à ces menaces dérisoires. Elle était incapable de lui faire du mal. Peut-être bien qu'il irait, après tout, juste pour lui faire plaisir. Et puis là-bas, il y avait un piano…

Le lendemain, Andrew O'Connor appela Ginny en milieu de matinée. Il voulait lui poser une question en l'absence du garçon.

— Blue a-t-il suivi une thérapie ? demanda-t-il.

— Je ne crois pas, il m'en aurait parlé.

— Il serait bon de l'emmener voir quelqu'un. Notre argumentaire sera encore plus solide si nous prouvons que l'abus a laissé des séquelles psychologiques. Et qui sait ? Il pourrait se remémorer quelque chose qu'il a complètement occulté. Il est vrai que c'est un garçon incroyablement équilibré quand on sait ce qu'il a vécu... Je suis certain que ce que vous faites pour lui depuis quelques mois n'y est pas pour rien.

Il était impressionné par l'engagement dont Ginny faisait preuve envers son protégé, mais aussi par l'attachement évident qui les liait l'un à l'autre.

— Oh, je ne suis qu'un ajout récent à sa vie, vous savez... Il se débrouillait avant de me rencontrer. Je lui propose un toit à l'occasion, mais c'est à sa propre force de caractère qu'il doit sa stabilité mentale. Je pars dans moins d'une semaine, je vais essayer de lui trouver un psy d'ici là. Auriez-vous des suggestions à me faire ?

Il lui donna le nom d'une psychologue avec laquelle il avait déjà effectué un travail très positif. Ginny en prit bonne note. L'avocat la questionna ensuite sur son travail et sa prochaine mission.

— Depuis quand exercez-vous ce métier ?

— Depuis que... Depuis trois ans et demi, depuis que j'ai arrêté la télé.

Troublée, elle changea de sujet et lui expliqua où Blue serait hébergé pendant son absence.

— À propos, intervint Andrew, il vous faudra sans doute une autorisation de sa tante pour la psychologue. Les thérapeutes sont parfois assez tatillons sur ce point.

— Très bien, je vais le lui demander.

— Ce doit être frustrant, de ne pas être la tutrice légale de Blue alors que vous vous occupez de lui ?

— Non, pas vraiment. Sa tante a toujours signé ce dont j'avais besoin...

Sachant qu'elle travaillait de nuit, Ginny appela Charlene sur le fixe, certaine de la trouver à la maison. Cette dernière se montra très aimable quand Ginny lui annonça que Blue allait bien et qu'il recevrait son brevet d'ici quelques semaines. Elle lui expliqua qu'elle ne pourrait pas assister à la cérémonie, mais Charlene ne proposa pas de s'y rendre à sa place. Ginny expliqua alors qu'elle avait besoin d'une nouvelle signature.

— C'est pour quoi, cette fois ? demanda la tante avec un petit rire. Vous l'emmenez en Europe pour les vacances d'été ?

Elle était encore impressionnée par le week-end à L.A.

— Non, répondit Ginny d'un ton grave. J'aimerais l'emmener voir un thérapeute.

— Quel genre de thérapeute ? Est-ce qu'il s'est blessé ? Ça ne m'étonne pas. Ce gosse est un vrai casse-cou !

— Non, il ne s'est pas blessé... Par thérapeute, j'entendais plutôt un psychologue.

— Un psy ? Pour quoi faire ?

Le stress dans la voix de Charlene était palpable. Ginny supposa que son petit ami avait frappé Blue et qu'elle ne voulait pas que cela se sache. Ginny aurait préféré ne pas en parler au téléphone, mais puisque Charlene posait la question, elle n'avait pas vraiment le choix... et elle n'avait pas envie de lui mentir.

— Je pense que Blue a essayé de vous en parler il y a longtemps. Il était très jeune et n'a sans doute pas su s'exprimer de façon convaincante à l'époque.

Elle tentait de trouver une excuse à Charlene, qui avait fait la sourde oreille aux révélations de son neveu.

— Il semble que Blue a été victime d'abus sexuels de la part d'un prêtre de votre paroisse, alors qu'il avait neuf ou dix ans. Nous avons entrepris des démarches. Blue a fait une déposition et nous allons engager des poursuites au civil contre l'archidiocèse dès que le perpétrateur sera inculpé.

Il y eut un silence.

— Quel perpétrateur ? demanda Charlene d'une voix blanche.

— Le père Teddy Graham.

L'autre laissa échapper un cri strident.

— Vous ne pouvez pas faire ça ! Blue vous ment ! Ce prêtre est le meilleur des hommes. Blue rôtira dans les flammes de l'enfer pour l'éternité s'il raconte n'importe quoi à son sujet.

— J'ai rencontré le père Teddy, et je comprends votre réaction. C'est un homme très charismatique. Mais le fait est qu'il a commis des attouchements sur votre neveu, et probablement continue-t-il sur d'autres enfants. Il menace de gâcher leurs jeunes vies. Il faut l'arrêter. Blue n'ira pas en enfer. Il a été victime d'un crime sexuel.

— C'est un petit menteur, depuis toujours ! Il a essayé de me raconter cette histoire, mais je sais bien qu'il n'y a pas une once de vérité là-dedans.

C'est vous qui commettrez un crime si vous tentez d'envoyer cet homme en prison. Le père Teddy est un vrai saint !

Ginny contint sa fureur à grand-peine.

— Je sais que c'est une nouvelle bouleversante et je comprends que peiniez à la croire, Charlene. Hélas, il a dupé son monde, mais la vérité éclatera au grand jour. D'autres garçons vont parler. En attendant, j'ai besoin de cette autorisation pour Blue.

— Je ne vous donnerai rien qui puisse aider à persécuter cet homme. Parce que c'est bien de la persécution, pas juste des poursuites ! Et dites à Blue qu'il peut oublier notre lien de parenté s'il ne revient pas tout de suite sur ses accusations. Au revoir.

Sur ce, elle raccrocha.

Ginny rappela Andrew O'Connor. Lequel ne parut pas surpris.

— C'est une réaction très fréquente, expliqua-t-il. Les gens se sentent vulnérables quand on les confronte à une réalité terrible. Charlene doit culpabiliser de ne pas avoir écouté Blue à l'époque.

— J'en doute, répondit Ginny. Cet homme est vraiment très convaincant. En attendant, je n'ai pas mon autorisation.

— Hum... Vous pourrez peut-être réessayer plus tard...

Elle lui assura qu'elle n'y manquerait pas, même si elle restait pessimiste.

Ce soir-là, Ginny ne parla pas à Blue de son entretien avec sa tante : à quoi bon ? À la place, elle lui offrit le téléphone promis de longue date. Elle partait dans quelques jours et pourrait ainsi le joindre dès qu'elle aurait un peu de réseau. Et puis, elle voulait le récompenser pour son bon travail scolaire.

Le lendemain, elle passa un coup de fil à son avocate, afin de faire modifier son testament et d'ajouter un legs important en faveur de Blue. Il lui restait l'argent de l'assurance-vie de Mark, le revenu de la vente de leur villa et ses propres économies. Becky et sa famille n'en avaient pas besoin, tandis qu'elle voulait mettre Blue à l'abri au cas où il lui arriverait quelque chose.

Le samedi, elle l'aida à emménager à Houston Street. Il paraissait désespéré. Elle partait le lundi, mais avait promis de l'emmener déjeuner au restaurant le dimanche.

De retour chez elle, elle trouva une enveloppe en provenance de LaGuardia Arts dans sa boîte aux lettres. Son cœur se mit à battre la chamade… Elle mourait d'envie de l'ouvrir, mais elle devait laisser ce soin à Blue.

Le dimanche en fin de matinée, elle passa le chercher au foyer, puis ils s'installèrent à la terrasse d'un café de Greenwich Village. C'est là qu'elle lui tendit l'enveloppe, un peu anxieuse. Si seulement les nouvelles pouvaient être bonnes ! Elle ne voulait pas le quitter pour deux mois sur une note amère. Alors qu'il déchiffrait la lettre, elle scrutait son visage. L'espace d'un instant, elle n'y décela aucune expression. Puis ses grands yeux d'un bleu presque électrique se levèrent lentement vers elle.

— Ils m'ont accepté ! s'écria-t-il.

Plusieurs têtes se tournèrent aux tables voisines, mais cela lui était bien égal. Il se leva et sauta au cou de Ginny.

— Ils m'ont accepté ! Je vais à LaGuardia !

— Je suis si contente pour toi, Blue, lâcha Ginny, les larmes aux yeux.

Elle espérait que cette première étape lui ouvrirait d'autres portes et donnerait un tour radicalement différent à sa vie. Jusqu'à la fin du repas, il resta coi d'émotion. Ils se promenèrent ensuite dans Greenwich Village, puis sautèrent dans un taxi pour se rendre à Central Park. Ils marchèrent un long moment en dégustant un cornet de glace, avant de s'asseoir sur le gazon pour bavarder. Ginny ne l'avait jamais vu aussi heureux et elle était extrêmement fière de lui. Il avait écrit la bonne nouvelle à Lizzie depuis son nouveau portable. La jeune fille était aux anges. Elle aussi avait été admise dans un excellent lycée à Pasadena. Ils espéraient se revoir prochainement ; Blue harcelait Ginny pour qu'elle l'invite à New York.

Le soir, il ne sembla pas triste lorsqu'elle le déposa à Houston Street. Dès qu'il pénétra dans le hall, il courut annoncer son succès à Julio Fernandez.

— Si je comprends bien, il faut que nous profitions de ta présence avant que tu ne deviennes trop célèbre pour traîner avec nous ! le taquina l'éducateur. J'espère que tu vas faire marcher notre piano ! On manque de bonne musique, par ici.

Blue souriait encore au moment d'embrasser Ginny.

— Sois sage. Si tu te sauves encore une fois, je te tue, plaisanta-t-elle. Allez, je t'appelle dès que je peux.

— Prends soin de toi. Je t'aime, Ginny.

— Moi aussi, Blue. Ne l'oublie pas. Je reviens bientôt.

Il s'était engagé sur le merveilleux chemin de vie qu'elle lui avait promis. Plus que jamais, elle espérait rentrer saine et sauve de son expédition. Il fallait qu'elle soit là pour Blue.

14

Le lendemain, Ginny n'appela pas Becky avant de quitter New York. Elle se contenta de lui envoyer par SMS la liste des numéros où elle pourrait tenter de la joindre au cours des huit semaines à venir s'il y avait un problème avec leur père. Becky ne répondit pas.

Le voyage jusqu'au camp syrien, près de Homs, dura une éternité. Et lorsqu'elle arriva, elle constata avec horreur que les conditions étaient bien pires que ce qu'on lui avait annoncé. Sur des lits de camp, des enfants aux yeux vitreux luttaient entre la vie et la mort. De jeunes garçons avaient été violés, d'autres amputés d'un membre ; une fille s'était fait arracher les yeux par son propre père et sa famille l'avait abandonnée sur le bord de la route. On commettait des actes de torture sur des enfants ! L'approvisionnement était pauvre et aléatoire, la tension latente. Chaque jour, de nouveaux enfants arrivaient. La Croix-Rouge et les médecins volontaires effectuaient un travail héroïque, Ginny et les autres les aidaient de leur mieux. Et en raison du climat politique explosif, tous les humanitaires redoublaient de prudence, restaient confinés dans le camp et ne se déplaçaient jamais seuls. Ginny s'efforçait d'oublier le danger et de se concentrer sur les enfants blessés. Mais il fallait vraiment avoir le cœur bien accroché. Ginny n'avait jamais été mise à aussi rude épreuve, d'un point de vue physique et émotionnel. Il fallait qu'elle tienne huit semaines...

Les rares fois où elle eut accès à Internet, elle put lire les mails de Blue et d'Andrew O'Connor. Pas un mot de sa sœur. Avec un peu de chance, cela signifiait que leur père était encore en vie. D'après le ton de ses messages, Blue s'en sortait bien. Il ne se plaignait pas trop de Houston Street. Il semblait s'être fait une raison et lui racontait qu'il composait de la musique sur le piano du foyer. Cela mit un peu de baume au cœur à Ginny. Tant que son protégé s'occupait de musique, il n'y avait pas à s'inquiéter. Apparemment, il faisait très chaud à New York. Sa remise de diplôme s'était bien déroulée et il s'acquittait de différentes tâches pour donner un coup de main au foyer. Ginny fut surprise et heureuse d'apprendre qu'Andrew O'Connor était venu lui rendre visite. Blue trouvait que c'était un type formidable.

Quant aux mails d'Andrew, ils la remplirent d'espoir. L'avocat lui apprit que les enquêteurs de la police avaient identifié plusieurs autres victimes du père Teddy. Cinq garçons de Saint-François s'étaient fait connaître, et deux à Sainte-Anne de

Chicago. Andrew était convaincu que d'autres suivraient. Ils avaient ouvert une boîte de Pandore. La police soupçonnait l'archidiocèse de l'avoir muté à Chicago parce qu'ils avaient connaissance de certains de ces cas. Ce qui n'avait pas empêché le père Teddy de recommencer.

Pour la première fois depuis qu'elle exerçait ce métier, Ginny avait hâte de rentrer chez elle. Ni l'avocat ni les policiers n'avaient communiqué leurs rapports à Blue : ils attendaient son retour...

Andrew évoqua également sa visite à Houston Street : il était passé dire bonjour à Blue en ami, car le gamin devait se sentir très seul sans elle. Il demandait à Ginny s'il pouvait l'emmener à un match de base-ball. Elle fut touchée du fait qu'il sollicite sa permission et répondit aussitôt pour le remercier. Blue était un ardent supporter des New York Yankees, il serait ravi de l'accompagner.

Dans son mail suivant, Andrew lui apprit qu'il connaissait le propriétaire du club et pourrait peut-être présenter Blue à quelques-uns des joueurs. Le garçon fut intarissable après le match. Ils s'étaient amusés comme des fous et les joueurs lui avaient donné deux balles signées, une batte et un gant. Blue avait demandé à Julio de les lui garder sous clé. Et en guise de remerciement, il avait composé un morceau au piano pour Andrew. Apparemment, l'avocat était lui aussi pianiste amateur. Quelle chance que cet homme puisse passer du temps avec son protégé en son absence ! Ginny se sentait un peu moins impuissante, et Blue avait bien besoin d'une figure masculine positive dans sa vie.

Andrew la questionna sur son travail en Syrie. Difficile de décrire par courrier électronique les horreurs auxquelles elle était confrontée quotidiennement... Andrew lui fit une réponse profonde et pleine de compassion, qu'il égaya néanmoins d'une caricature du *New York Times* à la fin. Ginny retourna travailler, le sourire aux lèvres ; grâce à ces échanges électroniques, elle se sentait un peu moins coupée du reste du monde. Andrew O'Connor semblait être un homme bien, profondément engagé envers son travail et ses clients.

La Croix-Rouge et d'autres ONG avaient envoyé des humanitaires en renfort, mais la situation dans le camp restait tout aussi dramatique. Comment reprendre une vie normale après une telle expérience ? New York lui ferait l'effet d'être une autre planète. Ginny aurait voulu y emmener avec elle tous ces enfants en souffrance. En trois ans et demi de missions à travers le monde, elle n'avait jamais connu pire.

C'est avec un profond soulagement qu'elle accueillit la relève, deux jours à peine avant son départ. Plusieurs humanitaires, tombés gravement malades, devaient être rapatriés d'urgence. Les novices perdaient courage et les plus aguerris tombaient d'épuisement. Ginny elle-même était atteinte de dysenterie et avait perdu cinq kilos. Elle n'en pouvait plus...

Pendant la première partie du voyage, elle dormit sans interruption et ne se réveilla que lorsque le véhicule la déposa à l'aéroport de Damas. Le retour à la civilisation urbaine avait quelque chose de surréaliste. Après ce qu'elle avait vécu pendant deux mois, la foule et l'opulence des magasins de l'aéroport lui donnèrent le tournis. Ce n'est qu'à bord de l'avion pour Amman, en Jordanie, qu'elle reprit ses esprits et mangea un peu. Son estomac s'en remettrait-il un jour ?

Son moral aussi en avait pris un coup. Elle n'avait jamais eu à s'occuper de tant de malheureux, tous terriblement jeunes. Et elle n'avait pas pu faire grand-chose pour les aider. Le souvenir de cette mission resterait gravé dans sa mémoire. Tout avait été dix fois, cent fois pire que ce que lui avait annoncé SOS/HR. Il lui semblait être partie depuis un an.

Quand l'avion atterrit à New York, elle eut envie d'embrasser le sol. On aurait dit une réfugiée qui débarquait sur la Terre promise. Elle avait hâte de se plonger dans un bon bain, mais elle avait promis de passer chercher Blue en chemin. Après avoir envoyé un SMS au jeune garçon, elle donna l'adresse de Houston Street au chauffeur de taxi.

Blue l'attendait devant la porte du foyer avec tous ses bagages. Le visage du garçon s'éclaira à sa vue. Puis :

— Ah la vache ! s'exclama-t-il. Tu n'as rien mangé, là-bas ?

Elle était pâle, amaigrie et avait les yeux cernés, mais elle souriait.

— Pas beaucoup, avoua-t-elle en le serrant dans ses bras de toutes ses forces.

Heureusement, lui était indemne et en bonne santé. Il ne connaîtrait jamais le même enfer que les enfants qu'elle venait de quitter. Quoi qu'il lui fût arrivé par le passé, ce n'était pas comparable : là-bas, les jeunes n'avaient pas d'échappatoire, tandis que Blue avait la vie devant lui. De belles opportunités l'attendaient, surtout maintenant qu'il allait fréquenter un lycée où son talent serait cultivé et où il apprendrait chaque jour de nouvelles choses.

Blue l'entraîna à l'intérieur et la conduisit dans le bureau de Julio.

— Quelque chose me dit qu'on ne te verra plus par ici, champion ! prophétisa ce dernier en adressant à Ginny un sourire en coin.

Blue était entre de bonnes mains, il le savait.

— Ne nous snobe pas pour autant, ajouta l'éducateur. Passe nous rendre visite à l'occasion. Tu vas me manquer.

Blue lui donna une accolade, puis courut presque dehors, où il se précipita dans le taxi. Comme promis, Ginny était venue directement de l'aéroport. Cette femme n'avait vraiment qu'une parole !

Ils se remirent en route. C'était une de ces journées étouffantes de début août. Ginny se débarrassa de quelques couches de vêtements, mais elle n'avait qu'une envie : tout enlever, plonger dans son bain et se décrasser.

— Alors, Blue, qu'est-ce que tu as fait de beau en mon absence ?

— Andrew nous invite, toi et moi, à aller voir un match des Yankees pour mon anniversaire. On peut y aller, dis, Ginny ?

Il allait avoir quatorze ans et elle était ravie d'être rentrée à temps pour fêter l'événement. Pendant les quatre à six semaines à venir, Ginny n'avait pas d'autres projets que de passer du temps avec son protégé et de s'assurer que sa rentrée à LaGuardia se déroulerait bien. Ellen, la directrice de SOS/HR à New York, lui avait écrit un mail : ils l'enverraient sans doute en Inde dans le courant du mois de septembre.

— Bien sûr, on peut aller voir les Yankees, répondit-elle en souriant.

— Andrew est super cool, tu sais ; il connaît tous les grands joueurs. C'est dur de croire qu'il était prêtre, avant.

Le gamin parlait à toute vitesse. Il était intarissable sur les trois matchs auxquels il avait assisté avec l'avocat : deux des Yankees et un des Mets. Et Jane Sanders, en charge de l'investigation policière, était également passée le voir au foyer. Il lui avait joué du piano. Mais Blue ne dit rien de l'avancement de l'enquête, et Ginny ne posa pas de questions : elle appellerait directement la détective.

Tous deux pénétrèrent dans l'appartement comme dans un havre de paix. Ginny envoya Blue faire les courses, tandis qu'elle savourait enfin le bain tant attendu. Elle en sortit une heure plus tard, détendue et bien récurée, et ils mangèrent des sandwichs. Après quoi, elle alla se coucher, non sans avoir rappelé à Blue qu'elle l'aimait.

Le lendemain, elle se leva peu avant midi, pleine d'énergie, et proposa à Blue d'aller écouter un concert à Central Park après le déjeuner. Au préalable, elle téléphona à Jane Sanders, puis à Andrew O'Connor.

— Si j'en crois vos mails, cette mission n'était pas des plus faciles, commenta ce dernier.

— J'avoue que ce n'était pas une partie de plaisir. Je suis contente d'être rentrée. Et Blue est en pleine forme ! Merci de vous être occupé de lui.

— C'est un gamin formidable... et incroyablement talentueux. Il m'a fait une ou deux démonstrations de sa virtuosité.

— D'après lui, vous n'êtes pas mauvais non plus, remarqua Ginny d'un ton plaisant.

— Oh, comparé à lui, je ne suis qu'un piètre musicien. Vous savez qu'il a composé un morceau à mon intention ?

— Oui, il me l'a dit. LaGuardia lui fera beaucoup de bien.

— C'est vous qui lui faites du bien. Il attendait votre retour avec impatience.

— Et moi de même...

— Savez-vous déjà quelle sera votre prochaine destination ?

— Probablement l'Inde au mois de septembre. Ça me fend le cœur, de devoir quitter Blue à nouveau.

Andrew s'abstint d'insister, mais elle avait vraiment beaucoup manqué au garçon. Il n'avait pas arrêté de parler d'elle, très angoissé à l'idée qu'il lui arrive quelque chose. Elle représentait le seul repère stable de son existence, la seule adulte à qui il ait jamais pu se fier.

— Votre organisation vous accordera peut-être de plus longues pauses entre deux missions, suggéra l'avocat.

Ginny y avait déjà songé, même si elle ne savait pas comment Ellen accueillerait cette suggestion. Au moment de son embauche, elle avait déclaré n'avoir aucune attache. SOS/HR comptait sur sa disponibilité neuf mois sur douze.

— On verra..., répondit-elle, évasive.

Après avoir raccroché, Ginny prépara le déjeuner avec l'aide de Blue et ils s'attablèrent dans la bonne humeur. Le garçon avait été bien nourri au foyer, où l'on était habitué aux adolescents en pleine croissance. Il semblait d'ailleurs avoir beaucoup grandi au cours de ces deux mois. Elle le félicita de s'être accroché et de ne pas avoir déserté Houston Street.

— Tu as menacé de me tuer si je fuguais..., lui rappela-t-il, taquin.

Il lui montra ensuite fièrement son diplôme. Elle promit de l'encadrer et de lui trouver une bonne place dans sa chambre. Blue avait déjà installé sur les étagères les précieux objets dédicacés des Yankees.

Elle avait envoyé un SMS à Becky la veille, et comme sa sœur ne lui avait pas répondu, elle décida de l'appeler. Elles ne s'étaient pas parlé depuis plus de deux mois. Leur dernière conversation (pour ne pas dire leur dernière dispute) avait laissé des traces. Becky estimait que sa sœur avait encore une fois grillé un fusible, tandis que

Ginny trouvait qu'elle avait un cœur de pierre et qu'elle était restée coincée au Moyen Âge. Elle avait cependant besoin de savoir comment allait leur père... Elle supposait que son état était stationnaire. En décrochant, Becky affecta la surprise.

— Tu es rentrée ?

— Oui, toujours vivante. Comment va papa ?

Assis à l'ordinateur, Blue prêtait l'oreille, une concentration feinte peinte sur le visage. Lizzie lui avait dit dans ses textos que son grand-père n'allait ni mieux ni plus mal.

— Il s'en va à petit feu. Il ne se réveille plus que de temps à autre et se rendort tout de suite. Il ne reconnaît plus personne.

Le cœur de Ginny se serra. Comme il devait être difficile d'assister à ce déclin, jour après jour !

— Et toi, comment ça va ? demanda-t-elle à sa sœur, radoucie.

— Pas mal, et toi ? Tu laisses tomber ta chasse aux sorcières ?

Becky espérait que sa mission en Syrie l'avait détournée de ses projets sacrilèges. Ginny soupira. Becky n'avait pas abandonné ses préjugés. Quelle étroitesse d'esprit...

— Ce n'est pas une chasse aux sorcières, répliqua-t-elle d'un ton froid. C'est la réalité. Des enfants bien réels ont été abusés par des prêtres tout aussi réels. Imagine un peu comment tu te sentirais si c'était arrivé à Charlie.

— Pour l'amour du ciel, Ginny, arrête ! Laisse tomber cette histoire.

Alan était encore plus remonté que sa femme. Il estimait que sa belle-sœur commettait un terrible péché, qui les couvrirait tous d'opprobre. Il priait pour que personne de leur connaissance ne l'apprenne. Tous deux avaient dit à leurs enfants tout le mal qu'ils en pensaient. Et Lizzie avait rapporté le point de vue de ses parents à Blue, précisant qu'elle n'était pas d'accord et qu'elle le trouvait au contraire très courageux.

Ginny écourta sa conversation avec sa sœur : il n'y avait rien à ajouter.

Une demi-heure plus tard, elle et Blue sortaient, en route pour Central Park. Comme c'était bizarre pour elle, après les horreurs de la Syrie, de se retrouver dans un écrin de verdure, entourée de gens heureux et bien portants... Peu à peu, elle se détendit, et put profiter pleinement du concert et de la compagnie de Blue.

De retour à l'appartement, elle reçut un appel d'Andrew. L'archidiocèse venait de prendre contact avec lui.

— Ils veulent nous voir, annonça-t-il, enthousiaste. Nous avons rendez-vous la semaine prochaine avec le prélat en charge de ces affaires. C'est une vieille tête de mule – et un Jésuite, lui aussi. J'ai travaillé avec lui pendant deux ans à Rome. Il ne sera pas tendre, mais c'est un type intelligent : il finira par céder. De toute façon, le père Teddy n'a rien pour sa défense. J'ai parlé à Jane Sanders aujourd'hui. De plus en plus de victimes sortent de l'ombre. Quinze pour le moment. Le plus âgé de la liste a trente-sept ans. Il en avait quatorze quand le père Teddy, frais émoulu du séminaire, lui a infligé des attouchements. Pour lui, ça commence vraiment à sentir le roussi. En plus, sa hiérarchie était au courant, apparemment.

— Et cet ami de Blue, Jimmy Ewald ?

— Jane Sanders lui a parlé, mais il nie en bloc. Il affirme que le père Teddy est le type le plus merveilleux qu'il ait jamais rencontré. Je pense qu'il a trop peur pour dire la vérité. Le curé doit l'avoir menacé, lui aussi.

Le prélat de l'archidiocèse voulait rencontrer Ginny et Andrew, mais pas Blue. L'avocat affirmait que tout se passerait bien, même s'il supposait que l'homme tenterait sûrement de discréditer le garçon. Pour sa part, Ginny craignait qu'il n'emploie toute son énergie à défendre le père Teddy.

— Ne vous inquiétez pas, nous parviendrons à nos fins. Ils chercheront peut-être à nous intimider au début, mais ils ne me font pas peur. N'oubliez pas que j'ai été l'un des leurs. C'est un sacré avantage et je connais plusieurs des joueurs sur le terrain, surtout les plus haut placés. Ce prélat, entre autres. C'est un homme très dur, mais il est honnête et juste.

En l'écoutant, Ginny s'interrogea à nouveau sur la vie passée de l'avocat : pourquoi avait-il quitté l'Église ? Elle ne lui poserait cependant jamais la question ! De même qu'il n'osait pas lui demander quel terrible crime elle cherchait à expier en risquant sa vie dans des camps de réfugiés. Ils prirent rendez-vous dans un café proche de l'archidiocèse,

240

le lundi suivant, une demi-heure avant la rencontre avec le prélat.

Après avoir raccroché, elle annonça la nouvelle à Blue.

— Et donc ? Est-ce que c'est bon ou mauvais pour nous ?

— C'est la procédure standard, expliqua-t-elle d'un ton calme. Le prélat veut nous voir. Juste Andrew et moi. Tu n'as pas besoin de venir.

Il parut soulagé. Ce soir-là, ils allèrent au cinéma, et le lendemain, à Coney Island. Blue monta sur le Cyclone, le manège le plus impressionnant de la fête foraine, mais déclara qu'il était moins bien que le grand huit de Magic Mountain et envoya un texto à Lizzie. Puis Ginny et lui s'assirent un moment sur la plage. Finalement, l'été à New York était loin d'être désagréable.

Ils étaient sur le ferry du retour en direction de Manhattan quand elle reçut un appel de Becky.

— Ginny ?

Avant que sa sœur n'articule autre chose, elle entendit le chagrin dans sa voix.

— C'est papa ?

— Oui, il y a une heure à peine. Je suis montée le voir après le déjeuner, il dormait tranquillement. Et quand j'y suis retournée, une demi-heure après, il était parti. J'aurais voulu être à ses côtés... je n'ai pas pu lui dire au revoir.

Elle fondit en larmes, de même que Ginny.

— Oh, Becky, tu as été à ses côtés tous les jours pendant plus de deux ans. La façon dont tu t'es occupée de lui, c'est le plus beau des adieux.

Il était prêt à partir, il ne pouvait plus continuer comme ça.

— Je sais, mais c'est triste. Il va me manquer. Je suis contente d'avoir pu faire quelque chose pour lui. C'était un si bon papa.

Oui, elles avaient eu la chance d'avoir de merveilleux parents. Tout le monde ne pouvait pas en dire autant.

— Il est avec maman, prononça Ginny entre ses larmes. Il doit être content de l'avoir retrouvée.

Leurs parents étaient restés très amoureux l'un de l'autre jusqu'au bout.

— Quand est-ce que tu peux venir, Ginny ?

— Je ne sais pas. Je suis dehors, là, mais je regarde les horaires dès que j'arrive chez moi. Quand veux-tu organiser l'enterrement ?

— Je ne sais pas... Je n'en ai pas encore parlé avec les pompes funèbres. Ils viennent juste de l'emmener.

Le cœur serré, elle l'avait vu quitter la maison sur une civière, enveloppé dans une couverture qui lui cachait le visage. À son grand soulagement, tous les enfants étaient sortis à ce moment-là. Elle ne leur avait pas encore annoncé la triste nouvelle. Ginny était la première à l'apprendre après Alan, qui avait quitté son bureau en catastrophe et ne tarderait pas à arriver.

Les deux sœurs étaient maintenant orphelines...

Aussitôt rentrée, Ginny se connecta et trouva deux places pour Blue et elle dans le premier avion du lendemain matin. Elle appela ensuite Andrew O'Connor pour s'excuser : son père venait de mourir à L.A., elle ne serait pas de retour à temps pour la rencontre avec le prélat.

— Toutes mes condoléances. Bien sûr, je vais décaler le rendez-vous. Quand pensez-vous rentrer ?

— Dans quatre à cinq jours, une semaine, tout au plus.

Les affaires de leur père seraient rapides à régler : elles avaient vendu sa maison lorsqu'il avait emménagé chez Becky.

— Le décès a-t-il été très soudain ? s'enquit l'avocat, plein de compassion.

Son ton était doux et empathique... Cet homme savait écouter son prochain. Tout à coup, cela ne l'étonnait plus qu'il ait été prêtre.

— Non, il était malade depuis longtemps. La dernière fois que je l'ai vu, avant mon départ pour la Syrie, j'ai senti que c'était la dernière. Il avait la maladie d'Alzheimer, et sa qualité de vie était très dégradée. Même si c'est mieux pour lui, ça fait bizarre...

— Ne vous inquiétez pas pour le rendez-vous, Ginny. Nous avons le temps. Je pense qu'ils veulent juste nous jauger, voir jusqu'où nous sommes prêts à aller.

— Jusqu'au bout, répondit-elle d'un ton ferme qui le fit rire.

— Vous avez raison. Blue mérite une importante compensation ; cela l'aidera à se reconstruire.

— Il n'y a aucune raison qu'un salopard prive un enfant de sa vie et de son avenir. Blue doit parvenir à tourner la page un jour. Je ferai tout ce qui est en mon pouvoir pour l'y aider.

Andrew était très impressionné par sa détermination.

— Nous avons tous nos démons, dit-il à mi-voix. Mais certains sont pires que d'autres.

Ginny fut troublée par ces propos... L'avocat parlait-il aussi pour lui ? Après tout, c'était un prêtre défroqué.

— Ce qu'a vécu Blue est d'une injustice patente, reprit-il. Mais tout ce que vous faites pour lui lui montre à quel point il compte pour vous. C'est essentiel. Il n'y a pas de plus beau cadeau au monde. Même si...

— ... Je veux que Blue s'en sorte indemne, insista-t-elle.

Ce souhait était touchant, bien sûr, mais Andrew doutait que ce fût possible... Il avait vu tant de ses clients adultes dans l'incapacité de mener une vie normale à la suite des abus dont ils avaient été victimes dans leur enfance. Parfois, l'amour ne suffisait pas. Quant à l'argent des dommages et intérêts, il apportait une forme de consolation, mais il ne rendait jamais aux victimes l'innocence, la confiance et l'équilibre qu'elles avaient perdus. Certaines étaient par exemple incapables de nouer des relations harmonieuses avec autrui.

— Nous allons faire au mieux pour Blue, promit-il. Je vous tiens au courant pour le rendez-vous.

Ginny resta longtemps songeuse après avoir raccroché. Cet homme, tout en étant très chaleureux, avait un côté très réservé, comme s'il cherchait à dissimuler ses propres blessures. Quelle personnalité complexe ! Elle se demanda si c'était lié à son passé d'homme d'Église. Pourquoi avait-il quitté la prêtrise ? Elle se prit à imaginer qu'il avait donné son cœur à une religieuse.

Ginny envoya un SMS à Becky pour lui donner l'heure de leur arrivée, puis elle aida Blue à faire ses bagages.

— Il faudra que nous t'achetions un costume à L.A. pour l'enterrement.

Cet achat donnerait l'occasion au garçon d'échapper une heure ou deux à l'ambiance pesante du deuil. Ils dînèrent presque sans un mot, puis Blue alla se coucher de bonne heure. Ginny resta seule assise au salon, à penser à son père.

15

Cette fois-ci, le vol pour L.A. leur parut durer une éternité. Bien sûr, le trajet était toujours un peu plus long en direction de l'ouest à cause du jet stream, mais surtout, l'ambiance n'était pas à la fête et les heures s'étiraient. Blue lui-même était morose. Les enterrements, il en avait assez...

— Tu tiens le coup ? demanda-t-il à Ginny peu avant l'atterrissage.

— Ça va... C'est juste bizarre de se dire que je rentre à L.A., mais qu'il ne sera pas là.

Blue hocha la tête et lui prit la main. Elle le gratifia d'un sourire.

Lorsqu'ils arrivèrent à la maison de Becky, ils trouvèrent toute la famille réunie à la table du déjeuner, l'air lugubre. Lizzie se leva d'un bond et se jeta au cou de Blue. L'atmosphère se détendit et tous se mirent à parler en même temps.

Après le repas, les deux sœurs se rendirent au salon funéraire. Elles firent tous les choix nécessaires : le cercueil, les faire-part, le programme et le livre de condoléances à reliure de cuir. Après quoi, elles avaient rendez-vous à l'église avec le curé pour décider de la musique, des prières, des lectures et des discours. Qui prendrait la parole ? Bien que leur père ne fût pas très âgé, la maladie l'avait coupé du monde : il ne voyait plus ses amis depuis plusieurs années.

Au retour, Ginny prit le volant et Becky la regarda un moment sans rien dire.

— J'ai été surprise de te voir parler avec le prêtre sans la moindre gêne, compte tenu de ce que tu t'apprêtes à faire, remarqua-t-elle enfin.

— Pour autant que je sache, le père Donovan ne viole pas les petits garçons.

— Comment peux-tu être sûre que c'est le cas de ce curé à New York ?

— Parce que quinze autres victimes ont déposé plainte depuis l'ouverture de l'enquête. Becky, ce n'est pas rien. La vie de beaucoup d'entre elles est fichue.

— Et celle du prêtre, tu y penses ? Imagine qu'il finisse en prison alors qu'il est innocent ! On ne s'oppose pas à l'Église, c'est contraire à tout ce que nos parents nous ont appris.

— Il est nécessaire de s'opposer à l'Église quand l'un de ses membres s'égare, répondit Ginny sans perdre son calme.

Elles n'échangèrent plus un mot jusqu'à la maison. Un gouffre les séparait. Ginny emmena ensuite Blue au centre-ville pour lui acheter un costume. Ils en trouvèrent un tout simple, bleu marine, qu'il pourrait porter en d'autres occasions : pour un récital au lycée, par exemple. Le garçon était très fier de sa nouvelle tenue, ainsi que de la chemise blanche et de la cravate sombre qui allait avec. Et ce soir-là, après s'être habillé pour la veillée funèbre, il avait l'air d'un homme.

Lizzie et lui étaient restés assis à chuchoter sur un banc du fond de l'église, tandis que Margie et Charlie, debout près de la porte, accueillaient les visiteurs aux côtés de leurs parents et de Ginny. Cette dernière réalisa qu'elle était partie depuis longtemps : la plupart des personnes qui venaient présenter leurs condoléances étaient des amis de Becky et Alan.

Aussitôt la cérémonie terminée, elle rentra chez Becky en toute hâte et se servit un verre de vin. Elle se sentait très vulnérable. Tout cela lui rappelait les funérailles de Mark et Chris... Elle jeta un œil à son ordinateur portable : elle avait un message de l'avocat, qui lui annonçait qu'il avait pu reporter d'une semaine le rendez-vous à l'archidiocèse. Ce contact avec le monde extérieur la soulagea un peu de l'ambiance oppressante qui régnait autour d'elle.

Les autres étaient rentrés. Les enfants se réfugièrent dans la salle de jeux du sous-sol. Au bout de quelques minutes, ils entendirent Blue jouer du piano et ils descendirent les rejoindre. Le garçon leur offrit un petit concert impromptu et parvint même à les faire tous chanter en chœur. Grâce à lui, ils parvinrent ainsi à « changer leur deuil en allégresse », comme il est dit dans la Bible. Pour finir, il leur chanta un superbe negro spiritual, d'une voix claire et forte qui tira des larmes à Ginny.

— Ma maman chantait souvent cette chanson, lui confia-t-il.

Le lendemain, jour de l'enterrement, il endossa à nouveau son beau costume. Lizzie, quant à elle, portait une petite robe noire que sa mère avait choisie pour elle. Leurs vêtements stricts et élégants leur donnaient un air très mûr.

Vers dix heures, toute la famille monta à bord des deux limousines envoyées par l'entreprise de pompes funèbres. À l'église, il y avait plus de monde que Ginny ne se l'était imaginé. La mémoire de son père serait honorée comme il le méritait. Blue se tenait à ses côtés, très fier d'avoir sa place sur le banc de la famille. À la fin de la messe, ils attendirent près de la porte pour recevoir les condoléances des uns et des autres.

Au cimetière, Ginny réalisa que son père serait enterré tout près de Chris et Mark. Lorsqu'elle aperçut leurs tombes, le sentiment de perte qui la submergea fut tel qu'il l'empêcha presque de respirer. Blue se pencha vers Lizzie.

— Est-ce que c'est eux ? murmura-t-il en désignant les sépultures d'un discret signe de tête.

La jeune fille acquiesça. Juste à côté, il y avait un espace libre pour Ginny : elle avait acheté les trois concessions le même jour, depuis son lit d'hôpital. Après le dernier hommage à son père, elle s'approcha des deux pierres tombales et se pencha vers la plus petite pour effleurer la stèle de son fils, le visage baigné de larmes. Blue la rejoignit, deux roses blanches à la main. Il les déposa sur les tombes et Ginny l'enlaça, laissant libre cours à son chagrin.

Le garçon garda ses mains dans les siennes pendant tout le trajet du retour en limousine.

Un copieux buffet les attendait chez Becky. Les invités prirent congé en début d'après-midi, après quoi la famille se retrouva seule. Charlie troqua son costume contre un jean pour recevoir sa petite amie, tandis que les plus jeunes décidaient de se baigner. En les apercevant par la fenêtre, Ginny se tourna vers sa sœur :

— C'est exactement ce que papa aurait voulu, déclara-t-elle. Les voir jouer dehors et profiter de l'été.

Leur père avait toujours été de nature joviale et il adorait la compagnie de ses petits-enfants. Ginny avait le sentiment qu'il aurait aimé apprendre à connaître Blue.

— Qu'est-ce que tu vas faire de lui, maintenant ? demanda Becky en désignant le jeune garçon.

— Comment ça ?

— Tu ne peux pas le garder éternellement chez toi. Il est presque adulte, et toi tu n'es jamais là. Tu n'as pas l'intention de l'adopter, n'est-ce pas ?

— Je n'en sais rien. Je n'y ai pas encore réfléchi. Tu parles de lui comme d'un poisson que je devrais rejeter à la rivière.

Sa sœur ne comprenait vraiment pas l'importance qu'il avait prise dans sa vie. D'un autre côté, il semblait un peu vain à Ginny d'adopter ce grand garçon, qui serait majeur d'ici quatre ans.

— Il pourra sans doute habiter avec moi jusqu'à ce qu'il soit en âge de se débrouiller et d'avoir son propre logement.

— Ce n'est pas ton fils, Ginny. Il ne fait pas partie de la famille ; il n'a rien à voir avec toi. D'ailleurs, ton mode de vie n'est absolument pas compatible avec l'éducation d'un enfant.

— Et si je ne m'occupe plus de lui, qui le fera ?

— Ce n'est pas ton problème. Comme il est écrit, « je ne suis pas le gardien de mon frère ». Tu n'as pas à élever le fils d'une autre.

— Heureusement que tout le monde ne pense pas comme toi, sans quoi la vie serait dure ici-bas pour les orphelins !

Ginny s'interrompit un instant, puis reprit plus doucement :

— Je ne saurais pas l'expliquer, mais Blue et moi, nous nous sommes trouvés. Cela nous suffit pour le moment.

Elles sortirent pour regarder les enfants, qui s'amusaient dans la piscine avec Alan. Il y avait là quelque chose de profondément serein, à l'opposé de l'horreur qu'avait été l'enterrement de Mark et Chris. N'était-ce pas ce que tout un chacun pouvait souhaiter ? Des parents qui s'éteignent paisiblement, dans leur sommeil, tandis que les générations suivantes vont de l'avant ?

Ce soir-là, ils dînèrent des restes du buffet et tout le monde se coucha tôt. Seule dans sa chambre, Ginny ruminait les paroles de sa sœur. Son étroitesse d'esprit l'attristait profondément. Le petit monde de Becky se limitait à Pasadena et aux gens qu'elle qualifiait de « normaux ». Il n'y avait rien en dehors de la vie qu'elle menait avec Alan. Aucune place pour les êtres un peu différents, les êtres comme Blue. La question qu'elle lui avait posée en forme de provocation fit réfléchir Ginny : elle n'avait jamais pensé à adopter Blue, mais peut-être pourrait-elle envisager cette éventualité ? Ce gamin avait besoin d'une famille et d'un foyer. Cela méritait réflexion.

Ginny et Blue rentrèrent à New York le surlendemain. La vie devait reprendre son cours et ils avaient une bataille à livrer contre l'archidiocèse. Elle appela Andrew O'Connor dès leur arrivée. Le rendez-vous avec le prélat aurait lieu deux jours plus tard.

— Je voulais juste vous prévenir que je suis rentrée, prononça-t-elle d'une voix lasse.

— Comment s'est passé votre séjour ?

— Comme on pouvait s'y attendre. C'était triste, mais dans l'ordre des choses. Je suis un peu en porte-à-faux avec ma sœur. Elle est furieuse contre moi parce que je m'en prends à l'Église. Elle estime que c'est un sacrilège, que les prêtres sont infaillibles. Son mari et elle sont très conservateurs. Moi, j'évite d'aborder le sujet, mais elle revient sans cesse à la charge pour me convaincre de faire marche arrière. Elle n'y comprend rien.

— Comme beaucoup de gens, souligna l'avocat. Ils ne veulent pas croire que de telles choses existent, ou alors ils en minimisent les conséquences. Il faut beaucoup de courage pour nager contre le courant. Quand j'ai commencé à défendre ce genre de dossiers, j'ai reçu des menaces de mort. Quand on y pense, c'est complètement surréaliste de voir qu'il y a des gens qui veulent vous ôter la vie au nom de la religion parce qu'ils n'aiment pas ce que vous faites.

— Vous aussi, Andrew, vous êtes doté d'un sacré courage...

— Non, seulement convaincu de poursuivre une cause juste. Cela ne m'a jamais attiré que des problèmes, mais je ne veux pas vivre autrement.

— Pour ma part, j'avais une vie tout à fait différente quand mon mari et mon fils étaient là. Ils occupaient toute ma vie. À présent, j'essaie de changer la donne pour les êtres qui ne sont pas en mesure de s'en sortir tout seuls. Mais je suppose que mes prises de parole, comme mes prises de risque, paraissent très menaçantes aux yeux de ceux qui s'accrochent à leur petit confort. Ils n'aiment pas les voix dissidentes, qui les forcent à reconsidérer leurs croyances.

— Exact. Quand je suis entré dans les ordres, mes parents ont cru que j'avais grillé un fusible. Et puis, ils ont été encore plus horrifiés quand j'ai quitté l'Église ! Allez comprendre... Quoi que je fasse, je me débrouille pour les choquer.

Ginny éclata de rire :

— C'est exactement ce que ma sœur pense de moi.

Et tous deux de rire de plus belle.

— En fait, je n'ai pas embrassé la prêtrise pour les bonnes raisons, reprit Andrew avec sérieux. Il m'a fallu longtemps pour m'en rendre compte. Je croyais avoir la vocation. Je me trompais.

L'avocat n'en avait jamais dit autant à un client, mais Ginny était ouverte de cœur et d'esprit ; c'était une femme pleine d'empathie dont il appréciait la conversation.

— Quitter les ordres n'a pas dû être facile. C'est une décision lourde à prendre.

— En effet, mais ayant été en poste à Rome, j'ai vu tout ce que les hautes sphères de l'Église ont de politique. C'est un milieu d'intrigues et de jeux de pouvoir, qui ne correspondent pas à l'idée que je me faisais de mon sacerdoce. Bien sûr, c'était passionnant, de se retrouver à Rome, au milieu de tous ces cardinaux. Travailler au Vatican a quelque chose de magique, de grisant, même. Mais je me rends plus utile aujourd'hui. À l'époque, je n'étais qu'un juriste affublé d'un col romain. Et je n'avais pas envie de devenir curé de paroisse, surtout après Rome. Ma véritable vocation, c'est d'être avocat.

— À vrai dire, je suis un peu déçue de vous entendre dire ça, déclara Ginny avec un petit rire qui charma Andrew.

— Ah bon, et pourquoi ?

— J'espérais à moitié que vous étiez tombé amoureux d'une bonne sœur, que vous aviez fugué ensemble pour vivre heureux et avoir beaucoup d'enfants. Je dois vous paraître fleur bleue, mais j'adore ce genre d'histoires. Un amour impossible qui finit par fonctionner…

— Moi aussi, j'apprécie ces histoires. Mais elles restent rares. Et il faut bien avouer que la plupart des religieuses d'aujourd'hui n'ont pas grand-chose de commun avec Audrey Hepburn dans *Au risque de se perdre*. Elles sont plutôt grassouillettes, avec des coupes de cheveux bizarres, jamais peignées, et elles portent des jeans et des sweat-shirts. Leur habit ne leur sert que quand elles vont à Rome, et encore... elles ont toujours le voile de travers.

Tout en riant, Ginny songea que sa sœur serait choquée d'un tel manque de respect.

— Non, poursuivit-il, mon seul coup de foudre, je l'ai eu pour la loi canon en travaillant au Vatican. Mais aucune nonne n'a jamais fait battre mon cœur.

Ginny se demanda si une autre femme faisait battre son cœur aujourd'hui. C'était un homme si passionnant... Il répondit à sa question indirectement, comme s'il lisait dans ses pensées.

— Pour autant, je ne suis jamais vraiment revenu à la vie civile. J'ai dû attendre trop longtemps avant de quitter les ordres. J'étais trop vieux. J'ai été pleinement libéré de mes vœux il y a cinq ans, alors que j'en avais quarante-trois. On peut dire que j'ai bien servi Dieu !

Ginny eut un mouvement de surprise : elle lui aurait donné trente-neuf ou quarante ans, pas quarante-huit.

— La plupart du temps, j'ai encore l'impression d'être prêtre, avec toute la culpabilité typiquement catholique que cela implique. On reste peut-être jésuite toute sa vie. J'ai commencé si jeune... Aujourd'hui, les gens ne s'engagent pas si vite, c'est mieux ainsi. Ils prennent leur décision en connaissance de cause. Moi, j'avais tout un tas d'idéaux absurdes. Mais il m'a fallu beaucoup de temps pour m'en apercevoir : vingt-cinq ans au total ! Il m'en faudra certainement autant pour redevenir un homme ordinaire. Pour l'instant, je me contente de jouer les trouble-fête et de poursuivre les pervers comme le père Teddy Graham. Au début, je me prenais pour un chevalier partant en croisade, je voulais incarner l'image de la foi et du bon prêtre. À présent, je me limite à envoyer les méchants derrière les barreaux et à secouer le cocotier pour que les victimes obtiennent des dommages et intérêts. Ce n'est pas un objectif parfaitement noble, dans la mesure où il y a de l'argent en jeu, mais tant qu'il ne m'est pas destiné, je peux continuer à me regarder dans la glace tous les matins.

Ginny songea qu'il devait être issu d'une famille fort riche, puisqu'il pouvait se permettre de travailler gratuitement sur certains dossiers. Son désintéressement n'en était pas moins admirable. Il y avait en lui quelque chose de très aristocratique, mais de très modeste à la fois.

— En somme, répondit-elle, nous sommes tous deux en croisade pour les droits de l'homme... Ma sœur m'a reproché de me prendre pour Jeanne d'Arc. Mais c'est ce qui donne un sens à ma vie. Je n'ai ni mari ni enfants, je peux donner de mon temps pour essayer de panser les plaies de ce monde.

— Tôt ou tard, chacun finit par trouver la voie qui lui convient. À ce qu'il me semble, vous avez transcendé votre douleur pour vous rendre utile. C'est un grand accomplissement.

— Ma sœur m'a demandé si j'allais adopter Blue. J'avoue que je n'y avais pas encore réfléchi. Peut-être pourrions-nous en discuter un jour ?

— Si telle est votre volonté, ce serait merveilleux pour lui. Mais il faut vous laisser le temps de la réflexion.

— Oui, merci pour vos conseils, Andrew.

— Bon, je vous dis à lundi à l'archidiocèse. Rendez-vous un quart d'heure avant au café du coin, afin que je vous informe de certains détails et que je vous brosse le portrait des protagonistes.

— Très bien, à lundi !

Après avoir raccroché, Ginny alla voir ce que faisait Blue. Elle fut étonnée d'entendre qu'il se sentait malade.

— Malade comment ? lui demanda-t-elle en posant le dos de sa main sur son front. Tu n'as pas de fièvre, ce doit être la fatigue du voyage.

En effet, les derniers jours avaient été éprouvants. Néanmoins, il était pâle. Et peu après, il vomit. Elle diagnostiqua que c'était sans doute une petite grippe intestinale et resta un moment assise à son chevet. Quand il finit par s'endormir, elle alla se coucher à son tour.

Elle se réveilla en sursaut : quelqu'un la secouait. Elle leva les yeux, l'esprit embrumé, et vit Blue penché au-dessus de son lit. Fait inhabituel, il pleurait.

— Que se passe-t-il, mon grand ?

— J'ai mal au ventre, Ginny. Mais, genre, vraiment très, très mal.

Elle lui dit de s'allonger sur le lit. Alors qu'elle s'apprêtait à appeler un médecin, il vomit à nouveau et se plia de douleur. Il lui montra le point précis où il avait mal : en bas à droite de l'abdomen. Elle comprit immédiatement de quoi il s'agissait. Elle s'habilla à la hâte et lui annonça doucement qu'elle l'emmenait aux urgences. Comme il souffrait trop pour s'habiller, elle l'aida à mettre un peignoir par-dessus son pyjama et il enfila ses chaussures montantes. Cinq minutes plus tard, ils étaient dans la rue. Ginny héla un taxi et demanda au chauffeur de les emmener au Mount Sinai. C'était l'hôpital le plus proche.

En un rien de temps, ils furent accueillis aux urgences, où Blue décrivit ses symptômes à l'infirmière, pendant que Ginny s'occupait de la partie administrative. Elle s'aperçut alors qu'elle n'avait pas de carte d'assurance maladie pour lui. Elle courut le rejoindre dans la salle d'examen et le trouva assis dans un fauteuil roulant, le teint verdâtre, une bassine sous le menton.

— Blue, est-ce que tu as une assurance ? lui demanda-t-elle sans le brusquer.

Il secoua la tête. Ginny retourna au bureau des admissions au pas de course et déclara que le patient n'était pas assuré. La secrétaire n'en parut pas enchantée.

— Vous n'aurez qu'à m'envoyer la note, suggéra Ginny.

Sur le formulaire qu'elle devait remplir, elle hésita un instant sur la rubrique « parent le plus proche », tentée d'inscrire son propre nom. Mais elle décida de s'en tenir à la vérité et écrivit celui de Charlene. Elle-même ne figurait sur le papier que comme la personne qui avait amené le malade.

— Ah non, ça ne va pas être possible, nous ne pouvons pas vous envoyer la note. Vous êtes sa mère ? fit la secrétaire d'un air soupçonneux.

— Non, répondit Ginny.

Elle se demanda aussitôt si elle n'aurait pas mieux fait de mentir.

— Alors vous ne pouvez pas signer le formulaire d'admission. Pour les mineurs, il me faut la signature du père, de la mère, du parent le plus proche ou du tuteur légal.

— Madame, il est quatre heures trente du matin, vous croyez que j'ai le temps de courir après la tante de ce garçon ?!

— Nous le traiterons en urgence si cela se révèle nécessaire, mais nous sommes obligés d'en informer sa tutrice, répliqua l'employée d'un ton froid.

Ginny retourna dans le box : le médecin examinait Blue, lequel paraissait terrifié. Elle lui tapota la main, essayant de le rassurer, puis le médecin l'invita à le suivre dans le couloir.

— C'est une crise d'appendicite, expliqua-t-il. Je ne veux pas attendre, il faut opérer maintenant.

Voilà qui confirmait les craintes de Ginny.

— Très bien, mais nous avons un problème. Ses deux parents sont décédés. Sa tante est sa tutrice, mais il ne la voit jamais... et il habite chez moi.

Ne pouvez-vous pas me laisser signer le formulaire d'admission ?

— Non, essayez plutôt de contacter sa tante pendant que nous l'emmenons au bloc. Nous n'avons pas besoin d'autorisation pour opérer, en revanche nous sommes tenus de l'avertir au plus vite.

Ginny acquiesça, mais retourna d'abord voir Blue. Le pauvre enfant était encore en train de vomir. Ses yeux étaient plus grands que jamais, son visage était crispé, baigné de larmes et singulièrement pâle. On lui avait déjà posé la perfusion. Un infirmier ne tarda pas à l'installer sur un lit roulant et lui expliqua la procédure. Ginny l'embrassa sur le front, et on le poussa dans le couloir. Le lit fut avalé par l'ascenseur et Ginny se retrouva seule. Elle aussi, elle pleurait.

Elle appela Charlene sur son portable. Avec un peu de chance, celle-ci serait au travail, quelque part dans un service de l'hôpital, non loin. Mais c'est une voix ensommeillée qui lui répondit. Tandis que Ginny l'informait des événements, une voix masculine derrière Charlene se plaignit de l'heure matinale. Il s'agissait sans doute de ce fameux Harold avec qui Blue ne s'entendait pas.

— Ne vous en faites pas, ça va aller pour le gamin, répondit la tante de Blue avec une désinvolture qui agaça Ginny. Je signerai les papiers demain soir, avant de prendre mon service.

Ginny alla ensuite s'installer dans la salle d'attente. Voilà qui lui laissait le temps de réfléchir à la situation. D'un point de vue légal, ses liens avec Blue flottaient dans les limbes, et cette maladie soudaine lui prouvait tout l'intérêt qu'il y aurait à officialiser les choses.

Blue remonta de la salle de réveil à huit heures du matin. On l'installa dans une chambre semi-privative ; l'autre lit était vide. Encore sonné, le garçon dormit jusqu'à midi et Ginny en profita pour rentrer chez elle, se doucher et se changer. À son retour, elle s'installa sur une chaise et s'endormit à son tour. Elle se réveilla vers dix-sept heures, juste à temps pour son rendez-vous à la cafétéria avec Charlene. Cette dernière signa les papiers sans difficulté, mais ses paroles laissèrent Ginny stupéfaite :

— Je ne veux plus être sa tutrice. Je ne le vois jamais... Et puis il vit chez vous.

Après tout... c'était la voix du bon sens, non ? Pour Charlene, avoir la responsabilité de Blue était un fardeau, tandis qu'elle, Ginny, ne demandait pas mieux.

Blue, cependant, avait son mot à dire.

Elle aborda le sujet deux jours plus tard, alors qu'ils regardaient la télé ensemble, tous les deux installés confortablement sur le canapé de son appartement.

— Tu ferais ça pour moi ? lâcha-t-il, les larmes aux yeux.

— Seulement si tu es d'accord. Je peux demander à Andrew de nous aider pour les questions juridiques.

L'avocat leur expliqua que c'était une démarche très simple, en particulier à l'âge de Blue. À quatorze ans, son avis devait être pris en compte, et puisque toutes les parties impliquées y étaient favorables, l'audition ne serait qu'une formalité. Ginny était une personne responsable : même si elle voyageait souvent, elle s'assurerait que Blue soit pris en charge pendant ses absences. Aucun tribunal ne rejetterait sa requête.

— Si vous le souhaitez, je peux constituer le dossier, proposa Andrew.

Ginny lui donna le feu vert.

Rien que d'en parler, Blue et elle étaient sur un petit nuage. Tandis qu'il se remettait de l'opération, elle le chouchouta, lui cuisina ses plats préférés, et ils regardèrent tous les films qu'il aimait. Leurs liens semblaient renforcés par la perspective de leur avenir commun. Ils envisageaient tout ce qu'ils pourraient faire dès qu'il serait sur pied. En fin de compte, cette crise d'appendicite avait eu des effets bénéfiques !

16

Andrew vint rendre visite à Blue pendant sa convalescence et lui apporta des magazines sportifs et un nouveau jeu vidéo. L'adolescent se sentait déjà mieux et fut ravi de le voir. L'avocat leur annonça qu'il avait sollicité l'audience pour le changement de tutelle. Il avait également repoussé le rendez-vous avec les prélats de l'archidiocèse au vendredi, puisque Ginny était occupée à prendre soin de Blue.

— Il est sympa, Andrew, commenta ce dernier après que l'avocat fut parti.

— Oui, c'est vrai, répondit Ginny distraitement.

— Tu devrais te mettre avec un homme comme lui, risqua Blue.

— Pourquoi est-ce que tu dis ça ? Je ne veux être avec personne.

Elle portait encore son alliance et était persuadée qu'elle se sentirait toujours mariée à Mark.

— Et puis maintenant, tu es là, ajouta-t-elle.

— Ça ne suffit pas, remarqua-t-il à juste titre.

— Pour moi, si !

Le vendredi matin, elle le laissa avec son ordinateur portable et une pile de jeux vidéo, puis elle se rendit en taxi au café où l'attendait Andrew. Elle se confondit en excuses pour ses dix minutes de retard.

— Désolée, il fallait que j'installe tout à portée de main de Blue avant de partir, expliqua-t-elle avant de commander un café.

L'ancien Jésuite portait un pantalon élégant mais décontracté, un blazer en lin marine et une chemise bleue dont il n'avait pas boutonné le col. Il la prévint que l'archevêque et les personnes qui l'assisteraient se montreraient particulièrement austères dans le but de les impressionner. Quelles que soient leurs convictions intimes, ils commenceraient par remettre en cause les dires de Blue pour protéger le père Teddy.

— Mgr Cavaretti a toujours pensé que la meilleure défense était l'attaque. Mais ne vous laissez pas intimider, Ginny. Il n'est pas bête, il sait que nous allons les coincer sur cette affaire-ci, et il se passerait volontiers de publicité négative. S'il s'avère que l'archidiocèse était au courant des agissements de Ted Graham, le tribunal se montrera implacable. Ils sont donc dans leurs petits souliers, gardez ça en mémoire pour ne pas flancher.

De plus, Blue respirait la franchise. Son témoignage saurait convaincre le juge sans le moindre doute.

L'archidiocèse, un building de verre et d'acier sur la Première Avenue, avait quelque chose d'impressionnant. L'intérieur, quoique d'un style totalement différent, était tout aussi majestueux. On avait l'impression de pénétrer dans un autre monde... Andrew et Ginny furent conduits dans une antichambre à haut plafond, aux lambris sculptés, et meublée de vraies antiquités. Il y avait un crucifix au mur. Comble de raffinement, cette pièce d'allure classique et austère était climatisée – ce qui n'était pas un confort négligeable dans la touffeur de l'été new-yorkais. Ginny ne put s'empêcher de se sentir intimidée.

— Est-ce que ça va ? souffla Andrew.

Elle acquiesça en silence. Il l'avait pourtant prévenue... Peu de temps après, un jeune prêtre entra pour les conduire à un autre étage, dans le bureau de Mgr Cavaretti. Trois prélats les attendaient dans cette pièce cossue. Un portrait du Saint-Père trônait au-dessus d'un grand bureau, les photos de plusieurs évêques et cardinaux étaient accrochées un peu partout. À leur entrée, un petit homme rond en soutane de prélat s'approcha d'Andrew, tout sourire. Mgr Cavaretti était prêtre depuis près de cinquante ans, mais il avait les yeux vifs et brillants de quelqu'un de beaucoup plus jeune.

— Heureux de vous revoir, mon cher Andrew, dit-il en lui tapotant l'épaule avec une joie sincère. Alors, quand revenez-vous parmi nous ? Blague à part, nous aurions bien besoin d'hommes de votre trempe dans nos rangs, surtout avec ce type d'affaires.

Ils avaient travaillé ensemble pendant le séjour romain d'Andrew. Le prélat admirait et respectait ses compétences. Selon lui, c'était l'un des meilleurs juristes du Vatican, il lui prédisait même un avenir de cardinal ! En conséquence, il avait été très déçu de le voir quitter les ordres, même si ce n'était pas totalement une surprise. Andrew avait toujours été un électron libre, parfois plus investi pour les idéaux du droit que pour ceux de l'Église. Il possédait un esprit critique, à la limite du cynisme. Il ne prenait rien pour argent comptant. Si la route que les autres traçaient pour lui s'écartait de ses principes et convictions intimes, il ne la suivait pas. Tout cela faisait de lui un formidable contradicteur, et le prélat soupçonnait que ce serait le cas une fois de plus ce jour-là.

À Rome, Mgr Cavaretti l'avait traité comme un fils. Il l'avait initié aux rouages de la politique vaticane et ils avaient passé maintes soirées à la chancellerie autour d'une bonne bouteille. C'est à cette époque qu'Andrew avait commencé à douter de sa vocation. Le prélat devinait d'ailleurs en partie les raisons de ces doutes. Andrew était un idéaliste, il estimait que tout prêtre se devait d'être parfait, lui-même y compris, bien sûr. À l'inverse, Mgr Cavaretti savait qu'un prêtre était un homme faillible. Les dossiers juridiques dont il avait la charge étaient une partie comme une autre de son travail au service de l'Église, alors que pour Andrew, c'était une cause pour laquelle il se battrait sans relâche.

— Vous finirez par revenir au bercail, déclara le prélat avec une telle certitude que Ginny se demanda s'il n'avait pas raison.

— Pas dans l'immédiat, rétorqua Andrew. Et en attendant, nous avons du pain sur la planche.

Il présenta Ginny, précisant que la jeune femme s'apprêtait à devenir la tutrice légale de Blue. Le prélat lui serra la main et présenta à son tour les deux ecclésiastiques qui l'accompagnaient. Il leur désigna ensuite un canapé avec une table basse et plusieurs fauteuils confortables. Le petit homme replet désirait clairement donner un ton informel à cette première entrevue, souhaitant probablement tenter de dissuader Ginny et Andrew de poursuivre leurs démarches. La police n'avait pas encore inculpé Ted Graham, c'était le moment ou jamais de les faire changer d'avis. Pour l'instant, ils étaient à l'abri des projecteurs, ce qui ne serait plus le cas d'ici quelques semaines, quand l'affaire serait soumise à la délibération du grand jury.

Mgr Cavaretti observait Ginny en coin. Elle portait un tailleur-pantalon en lin noir strict et élégant, et son alliance pour seul bijou. C'est avec surprise qu'il nota qu'elle était mariée : selon ses informations, le garçon jusque-là sans abri vivait chez une dame seule. Il se demanda ce qui avait bien pu la pousser à le prendre sous son aile. Il savait également qu'elle avait été reporter pour la télévision, de sorte que sa collaboration avec un juriste aussi passionné qu'Andrew s'annonçait potentiellement fort dangereuse pour l'Église.

Le jeune prêtre leur avait proposé thé, café ou rafraîchissement, mais ils avaient refusé le tout.

— Bien, nous y voilà, commença Mgr Cavaretti en leur souriant. Qu'allons-nous faire au sujet de cette question fâcheuse ?

Son ton était léger et amical.

— L'avenir d'un jeune prêtre est en jeu, poursuivit-il. Pas seulement à l'intérieur de l'Église, mais aux yeux du monde. Il est clair que cette procédure menace de le détruire, ainsi que sa carrière et sa foi en lui-même, surtout s'il doit finir derrière des barreaux.

Ginny n'en croyait pas ses oreilles. Ni elle ni Andrew ne prononcèrent un mot.

— Nous devons aussi considérer l'impact de telles accusations sur notre Sainte Mère l'Église. Et également sur nos ouailles... Car nous parlons ici d'êtres humains, pas seulement d'une institution. Le père Ted Graham est très apprécié.

— Est-ce pour cela que vous l'avez muté à Chicago ? demanda Andrew, cynique.

L'avocat venait de tirer sa première flèche. Mais le prélat en avait vu d'autres.

— Le moment était venu pour lui de bouger. Vous savez ce que c'est... Si un prêtre s'attache à un lieu, il risque de perdre l'objectivité et le recul nécessaires. Or il se trouve qu'il y avait une cure vacante à Chicago à ce moment-là, un poste à pourvoir au plus vite.

— Ce « moment » est-il venu suite à la plainte de quelqu'un ? Un enfant de chœur que ses parents auraient pris au sérieux ? Ou bien un prêtre a-t-il été témoin de certains faits ? Vous le dites vous-même, ses paroissiens new-yorkais l'adoraient. Pourquoi l'avoir muté à Chicago ?

— Le curé de Sainte-Anne était mort subitement un mois plus tôt, nous n'avions personne d'autre. Une mutation parfaitement justifiée.

— J'aimerais pouvoir le croire, rétorqua Andrew. On peut toujours trouver quelqu'un d'autre, il me semble. Mais le plus surprenant, c'est que nous avons désormais quinze cas similaires à celui de Blue, répartis entre Saint-François et Sainte-Anne. Monseigneur, je crois que vous avez un sérieux problème, et je crois aussi que vous n'êtes pas sans le savoir.

Le visage de Cavaretti ne trahissait aucune émotion. Quant aux deux autres prélats, ils restaient cois, sans doute selon les instructions de Cavaretti, qui était le doyen de cette étrange assemblée.

Ginny assistait, fascinée, à la joute oratoire à laquelle se livraient les deux hommes et, quoiqu'elle espérât qu'Andrew en ressorte vainqueur, elle ne pouvait s'empêcher d'admirer la maîtrise et le sang-froid dont faisait montre le prélat.

— Je pense que nous devons tous réfléchir aux répercussions potentiellement délétères d'une action en justice, insista ce dernier. Aux vies qui vont être brisées. Non seulement celle du père Graham, mais aussi celle de ce garçon. Vous ne lui rendrez aucun service en ébruitant l'affaire, et ce, même si son histoire est vraie – ce dont je doute. À mon avis, c'est un gamin terrifié, qui a peut-être essayé de séduire un prêtre, avant de se raviser et d'essayer de tourner la situation à son avantage. Nous ne paierons pas un centime pour ses mensonges.

Cavaretti transperça Andrew du regard, avant de toiser Ginny, qui bouillait de colère contenue.

— Ce n'est pas une question d'argent, monseigneur. Quant à la théorie selon laquelle un garçon de neuf ans voudrait séduire un quadragénaire, c'est la première fois que j'entends une telle ineptie. Il se trouve que ce gosse est la victime en même temps que mon client, et l'Église devra payer la somme fixée par le tribunal en compensation d'une vie impactée pour toujours. Vous connaissez les séquelles de ces traumatismes aussi bien que moi, monseigneur. Nous parlons d'un crime, un crime de la plus haute gravité, car commis contre un enfant. Le prêtre Ted Graham ne mérite pas une mutation mais une peine de prison. Si cette affaire est jugée devant un tribunal – ce dont je ne doute pas un seul instant –, tout le monde se demandera légitimement pourquoi sa hiérarchie ne l'a pas empêché de récidiver. Vous en porterez toute la responsabilité, monseigneur. Vous me connaissez suffisamment pour savoir que j'irai jusqu'au bout dans ce combat pour la justice, ne serait-ce que pour obtenir une preuve de vos remords, un gage de votre bonne volonté.

Un long silence suivit cette attaque. Puis Andrew se leva, invitant Ginny à l'imiter d'un signe de tête. Elle vit alors le prélat esquisser une moue. Il ne s'était pas attendu à une telle inflexibilité de la part de son ancien collaborateur.

— Madame, lui dit-il alors, je vous prie instamment de parler à ce garçon et de réfléchir aux destins qui risquent d'être brisés sous peu, tout particulièrement le sien ! Cette affaire ne pourra que salir toutes les personnes impliquées, y compris Blue lui-même.

— Messeigneurs, merci de nous avoir reçus, intervint Andrew avant que Ginny ait le temps de riposter contre cette menace implicite. Monseigneur Cavaretti, c'était un plaisir de vous revoir. Bonne journée.

À ces mots, il saisit le bras de Ginny et l'entraîna hors de la pièce, puis hors du bâtiment. Il ne reprit la parole que dans la rue. Il avait un regard d'acier.

— C'est un vieux roué, ce Cavaretti. Je savais qu'il essaierait de vous déstabiliser en s'en prenant à Blue. Il n'est jamais facile de s'attaquer à un mammouth de la taille de l'Église catholique. Mais le bien et la vérité sont de notre côté, pas du leur.

— Quelle arrogance ! Quelles pratiques répugnantes ! explosa Ginny. Ils devraient se prosterner à genoux pour implorer le pardon de ces enfants !

— Ils ne peuvent pas céder si vite, ils tentent le coup. Mais ils finiront par payer.

— Pouvez-vous me dire, Andrew, quel était l'objet de cette entrevue ? Je m'imaginais que nous allions parler sérieusement de la suite de la procédure. Quelle naïve je fais ! Leur seule intention était de nous terroriser, ragea-t-elle.

— Ce n'est pas une partie de plaisir, je vous l'accorde. Mais concrètement il n'y a rien à craindre. Blue étant mineur, il sera protégé par l'anonymat.

Aujourd'hui, c'était leur dernière chance de nous convaincre d'annuler la plainte.

— Pensez-vous qu'ils finiront par reconnaître les faits ?

— Ils n'ont pas le choix, si Blue maintient sa version.

— Ce n'est pas « sa version », c'est la stricte vérité !

— Oui, c'est pourquoi je le défends. Essayez de ne pas vous laisser atteindre par leurs provocations, Ginny... Nous avons encore un long chemin à parcourir. À ce propos... dès que vous aurez obtenu la tutelle temporaire de Blue, je voudrais que vous l'emmeniez chez la psychologue hypnothérapeute dont je vous ai donné le nom. Nous aurons besoin d'une expertise de son état mental et de l'étendue de son traumatisme.

— Va-t-elle l'hypnotiser, ou seulement parler avec lui ? voulut savoir Ginny.

— Tout dépendra de son ressenti. Si elle pense qu'il a occulté certaines choses, elle l'hypnotisera peut-être, mais les témoignages basés sur l'hypnose sont parfois incomplets et manquent de fiabilité. Tous les juges ne les acceptent pas.

Ginny acquiesça ; elle voulait seulement avertir Blue du déroulement de la séance.

— Si cela ne vous ennuie pas, la thérapeute vous demandera de signer un papier l'autorisant à me parler du cas de Blue. J'attends un coup de fil de Jane Sanders : elle doit me donner la date à laquelle nous passerons devant le grand jury. D'après ce qu'elle m'a dit hier, la BPM est quasiment prête à soumettre le dossier. Et ensuite, nous lancerons les hostilités.

Une main de fer dans un gant de velours... C'est à cela que Ginny pensa en regardant l'avocat.

— Je vous appelle bientôt, conclut-il. Passez le bonjour à Blue.

Sur ce, il héla un taxi, tandis qu'elle se dirigeait vers la station de métro.

Dès le retour de Ginny, Blue lui demanda comment s'était passée la réunion. Il était allongé sur le canapé, en train de regarder la télé, encore très pâle après l'opération.

— Qu'est-ce qu'ils ont dit ?

— Pas grand-chose, répondit-elle. C'était surtout de l'esbroufe.

Elle lui résuma l'entrevue – en omettant le chantage du prélat –, puis troqua son tailleur contre un jean, un tee-shirt et une paire de tongs, ce qui l'aida à se détendre. Elle prit ensuite rendez-vous avec la thérapeute pour la semaine suivante.

Dans la soirée, Andrew appela pour prendre des nouvelles de Blue. Ginny lui trouva une voix lasse et il avoua avoir passé une journée épuisante.

— Comment se porte notre convalescent ?

— Il commence à s'impatienter, le pauvre. Il veut aller à la plage demain, mais je pense que nous devrions attendre quelques jours de plus avant de sortir.

— Et si j'apportais le dîner demain ?

Ginny fut touchée par sa proposition.

— Pourquoi pas ? Il rêve d'un Big Mac...

— Je pourrai sans doute trouver mieux. J'habite tout près de l'épicerie Zabar's. Et n'oubliez pas le match des Yankees pour son anniversaire.

Ginny se demanda s'il se montrait aussi attentionné envers tous ses clients. Il semblait nourrir une tendresse toute particulière pour Blue. Après avoir raccroché, elle annonça au garçon que l'avocat dînerait avec eux le lendemain.

— Ben dis donc, on dirait qu'il t'aime bien, lâcha Blue avec un sourire niais.

— Mais non, voyons, c'est toi qu'il aime bien !

Le lendemain, Andrew se présenta chez eux avec un bouquet de fleurs et un somptueux dîner. Il y avait plusieurs sortes de pâtes, un poulet rôti, des salades, un assortiment de fromages français avec une bonne bouteille de bordeaux, ainsi qu'une montagne de desserts. Tous trois disposèrent les plats sur la table et se régalèrent de ce festin. Andrew et Blue causèrent base-ball pendant le repas, puis l'adolescent, encore éprouvé par l'opération, alla se coucher. Ginny parla alors de ses voyages et Andrew évoqua les bons souvenirs de son séjour à Rome.

— Ah, c'est la ville la plus romantique du monde, soupira-t-il, nostalgique.

Il sourit. C'est vrai qu'une telle remarque n'était pas ordinaire dans la bouche d'un ancien prêtre...

— J'adorerais y retourner un jour, poursuivit-il. La vie au Vatican est passionnante, même si j'y travaillais quinze heures par jour. Le soir venu, je faisais de longues promenades dans la ville éternelle. Tu devrais y emmener Blue un jour.

Ils étaient convenus de se tutoyer au cours du repas ; cela leur semblait tout naturel... Il s'adressait à elle comme à une amie et Ginny appréciait de pouvoir partager avec lui ses inquiétudes et ses espoirs au sujet du jeune garçon.

— Il y a beaucoup de pays où j'aimerais l'emmener. J'ai l'embarras du choix : il ne connaît rien en dehors de New York. Peut-être que je prendrai quelques congés l'année prochaine...

— Ce seraient des vacances bien méritées, commenta Andrew.

— Et je me disais aussi que nous pourrions partir quelques jours avant le début de ses cours.

— Vous devriez aller sur le littoral du Maine. C'est là que je passais mes étés quand j'étais gamin. Tiens, à propos, est-ce que tu fais de la voile ?

— Je n'en ai pas fait depuis des années. Mais j'adorais ça.

— J'ai un bateau ici, à New York, au port de Chelsea Piers. Il est ridiculement petit, mais il fait mon bonheur et ma fierté. Je le sors le week-end, quand je ne croule pas sous le travail. Nous pourrions emmener Blue un de ces jours.

Tout comme Ginny, il souhaitait l'initier à quelques-unes des joies de ce monde.

Ils finirent de vider la bouteille de vin en évoquant les étés de leur enfance. Ils se sentaient bien, comme en famille.

Le lendemain, Ginny reçut un appel d'Ellen Warberg de SOS/HR : ils envisageaient pour elle une mission en Inde. Il s'agissait d'un refuge pour des jeunes filles qui avaient été réduites à la prostitution forcée ; les humanitaires les enlevaient de leurs lieux de détention ou les rachetaient à leurs proxénètes, une à une. Ils en avaient sauvé plus d'une centaine à ce jour.

— Quand faudrait-il partir ? s'enquit Ginny, inquiète.

— Dans trois semaines. Notre collaboratrice, qui dirige le refuge en ce moment, doit être de retour aux États-Unis le 10 septembre, donc nous devrions t'envoyer là-bas au plus tard autour du 5 septembre pour qu'elle puisse te passer les consignes. Au moins, cette fois-ci, ce n'est pas dans une zone de guerre...

Le 5 septembre était cependant le jour de la rentrée de Blue à LaGuardia. Ginny n'avait aucune envie de le laisser au foyer à ce moment si important. Surtout, elle voulait être à ses côtés pour la procédure judiciaire. Le problème, c'est que Ginny ne savait pas comment sa supérieure hiérarchique prendrait cela. Ellen n'avait pas d'enfants et n'avait jamais été mariée. À ses yeux, l'accompagnement d'un ado le jour de la rentrée au lycée ne devait pas peser bien lourd dans la balance, comparé aux drames que vivaient des millions d'enfants dans le monde.

— Écoute, Ellen, je ne t'ai encore jamais fait faux bond, mais je ne peux vraiment pas partir à cette date. Mon agenda est très chargé en ce moment.

— Ah... je comprends. Quand penses-tu que ce sera possible, alors ?

Il est vrai que Ginny avait accepté toutes les missions qu'elle lui avait proposées jusqu'alors. Elle avait gagné le droit de passer son tour.

— Dans l'idéal, j'aimerais rester ici pendant tout le mois de septembre, si tu arrives à t'organiser comme ça. Mais j'irai où tu voudras m'envoyer autour du 1ᵉʳ octobre.

— OK, ça peut marcher, répondit Ellen. Nous enverrons quelqu'un d'autre en Inde, j'ai ma petite idée. Une fille qui n'a pas autant d'expérience que toi, mais qui est très volontaire. Nous allons te trouver une mission pour le mois d'octobre, Ginny. Je ne peux pas encore te dire où, mais tu devrais être rentrée pour Noël, ou juste après.

Le cœur de Ginny se serra en entendant ces mots. *Juste après Noël...* Maintenant qu'elle s'apprêtait à devenir la responsable légale de Blue, elle ne pouvait pas lui faire ça ! Il n'allait quand même pas passer Noël dans un foyer, tout seul !

— Ne t'inquiète pas, lança Ellen. Profite bien de ta période de repos.

Elle imaginait que Ginny passerait son temps au musée et au cinéma... Elle ne se doutait pas qu'elle avait pris un jeune SDF sous son aile près de huit mois plus tôt.

Dans l'après-midi, Andrew l'appela pour lui annoncer qu'une date de passage devant le grand jury avait été arrêtée et qu'elle pouvait recevoir un coup de fil de leur part à tout moment pour témoigner. Une autre victime s'était fait connaître à Chicago, un enfant de chœur. Andrew voyait d'ici la tête que ferait Cavaretti en apprenant la nouvelle... L'avocat remarqua alors que Ginny paraissait distraite au téléphone. Elle avait à peine réagi à son annonce.

— Quelque chose ne va pas ? demanda-t-il.

— Oh, c'est juste que je suis en pleine négociation avec SOS/HR.

Elle lui expliqua son dilemme. Andrew ne fit aucun commentaire, mais il ne voyait pas comment elle pourrait concilier un boulot tel que le sien avec la garde d'un enfant.

— Tout était si facile quand il n'y avait personne dans ma vie ! soupira-t-elle.

— Oui, c'est pourquoi je reste célibataire, répliqua Andrew en riant. Je peux partir en Inde ou en Afghanistan dès que ça me chante !

— N'oublie pas la Syrie, c'est pas mal non plus... Enfin bref, je vais voir comment les choses se décantent et où ils m'enverront la prochaine fois. Pour le moment, je reste à New York.

— C'est une très bonne idée. Il faut au moins que tu sois là pour la mise en accusation et le début de la préparation du dossier au civil. Et on ne sait pas ce que répercutera la presse, ni comment l'Église ripostera. Ils risquent d'envoyer quelques bombes de notre côté de la barrière.

Si l'anonymat de Blue était garanti, il n'y avait en revanche aucun moyen de savoir ce qu'ils diraient de Ginny et des raisons de son engagement.

— Que penses-tu faire sur le long terme ? lui demanda Andrew.

Si Blue restait avec elle, elle serait soumise à des choix difficiles.

— À vrai dire, je n'arrive pas à me projeter, répondit-elle. Je veux déjà survivre au mois de septembre ici, puis à ma prochaine mission. Ensuite, je verrai. Depuis bientôt quatre ans, on exigeait seulement de moi que je tienne une bassine pleine de chiffons ensanglantés dans un hôpital de fortune, que j'escalade une montagne de temps à autre, le tout en essayant de ne pas me faire tirer dessus. Personne ne m'attendait à New York, ni ne s'inquiétait pour moi, à part ma sœur à l'occasion. Mais pas très souvent, car elle a une vie et une famille. Et tout à coup, me voilà investie de la responsabilité d'un jeune être. Je ne m'y attendais pas.

— Ce sont les mystères de l'existence. Au moment où on croit avoir tout organisé à la perfection, quelqu'un éternue – ou Dieu souffle sur le château de cartes.

Le château de cartes de Ginny s'était sacrément effondré presque quatre ans plus tôt... Puis l'arrivée de Blue avait encore une fois tout chamboulé, mais cette fois pour le mieux.

— Dis-moi si je peux t'aider en quoi que ce soit, poursuivit Andrew. Je peux très bien garder un œil sur Blue pendant ton absence et lui rendre visite au foyer.

Blue, cependant, avait besoin d'autre chose. Il avait droit à une vraie maison et Ginny savait bien qu'on ne pouvait pas être parent à temps partiel.

— Merci, Andrew, je verrai, répéta-t-elle.

— Très bien... En attendant, ça vous dirait de faire un tour de bateau dimanche ?

Ginny accepta avec enthousiasme, puis raccrocha. Elle se demanda soudain si Blue avait le mal de mer et se dit qu'il n'avait sans doute jamais eu l'occasion de le savoir.

Au dîner, elle fit part des dernières nouvelles à son protégé.

— J'avais peur que tu ne sois pas là pour ma rentrée, avoua-t-il doucement.

— Moi aussi. Mais ne t'inquiète pas : je n'aurais jamais accepté de partir avant.

— Ça craint, qu'ils te donnent des missions aussi longues. Tu me manques quand tu n'es pas là.

— Toi aussi, tu me manques, mon grand. Je demanderai peut-être à partir moins longtemps...

Le samedi, jour du match de base-ball, était à marquer d'une pierre blanche pour Blue. Andrew passa les chercher dans la Range Rover dont il ne se servait que le week-end, et Blue, coiffé de sa casquette des Yankees, passa tout le trajet à faire des pronostics. L'avocat avait prévu une multitude de surprises à son intention. Il l'emmena sur le terrain et le présenta à plusieurs joueurs vedettes sur le banc de touche avant le début du match. Ceux-ci lui souhaitèrent un joyeux anniversaire et lui dédicacèrent deux nouvelles balles. Blue les confia à Ginny avec pour instruction de les garder comme la prunelle de ses yeux. Andrew acheta des hot-dogs pour tout le monde et, juste avant le coup d'envoi, les mots « Joyeux anniversaire, Blue ! » s'illuminèrent sur le tableau de score.

Le garçon laissa échapper un cri de joie et Ginny en eut les larmes aux yeux.

Le match lui-même fut passionnant. Les deux équipes ne parvinrent à se départager qu'à la douzième manche, à la faveur des Yankees. Blue sautait sur place, au comble de l'excitation, et son nom apparut encore sur le tableau après la fin du match. C'était le cadeau d'anniversaire dont tout garçon de son âge aurait rêvé !

De retour à l'appartement, Andrew partagea avec eux le gâteau que Ginny avait caché dans le placard.

— C'est le plus bel anniversaire de toute ma vie, déclara solennellement Blue après avoir soufflé ses bougies. Vous êtes mes meilleurs potes.

Sur ce, il alla chercher ses deux balles dédicacées dans le sac de Ginny, et les exposa fièrement sur son étagère à côté des autres.

— Merci de lui avoir offert une si belle soirée, dit Ginny en servant une part de gâteau à Andrew.

Ils étaient assis à la table de cuisine, laquelle était à peine assez grande pour les accueillir tous les trois.

— C'est vraiment facile de lui faire plaisir, répondit Andrew en souriant.

Blue revint se joindre à eux.

— Je n'avais jamais eu de gâteau pour mon anniversaire, lâcha-t-il, songeur, en finissant sa seconde part.

Les deux adultes échangèrent un regard muet. Voilà qui en disait long sur son passé. Andrew raconta alors que ses deux frères aînés lui en avaient fait voir de toutes les couleurs quand il était plus jeune. L'un faisait partie aujourd'hui d'un grand cabinet d'avocats de Boston, l'autre était prof de fac dans le Vermont. Tous deux l'avaient cru fou lorsqu'il était entré dans les ordres.

— Tu sais, Blue, j'ai un neveu de ton âge. Il veut s'inscrire dans l'équipe de foot américain du lycée à la rentrée prochaine. Sa mère en fait une jaunisse !

Ils passèrent au salon et Andrew regarda les photos de Mark et Chris.

— C'était un adorable petit garçon, dit-il doucement.

Ginny ne put parler pendant plusieurs minutes. Dans ces situations-là, le chagrin la rattrapait de façon impitoyable. Pour changer de sujet, Andrew interpella Blue au sujet du match. Tous deux s'accordèrent à dire que les Yankees avaient joué comme des chefs et Andrew promit de l'emmener aux séries mondiales si les Yankees arrivaient jusque-là. Ginny calcula qu'elle serait en mission... Tout à coup, il lui était très difficile de se dire qu'elle s'apprêtait à manquer des événements importants dans la vie de Blue. Mais son métier lui paraissait tout aussi essentiel.

— Allez, à demain, on se retrouve sur mon voilier, à Chelsea Piers ! lança Andrew avant de partir. Vous verrez comme il est beau... Et encore joyeux anniversaire, Blue !

Le lendemain fut une autre journée mémorable. La température était parfaite ; la brise, idéale. Le voilier d'Andrew était un vieux bateau en bois, qu'il avait restauré lui-même. Ginny largua les amarres, et ils s'éloignèrent du ponton. Andrew hissa les voiles et indiqua quoi faire à Blue. C'était le premier cours de navigation du garçon. L'avocat fut étonné par la rapidité avec laquelle Blue assimilait les consignes. Ils longèrent la côte un moment, puis jetèrent l'ancre dans un petit port. Ils pique-niquèrent de bon appétit, puis s'étendirent au soleil sur le pont. Le bateau avait juste la bonne taille pour eux trois.

— D'habitude, je navigue seul, dit Andrew à Ginny en surveillant Blue à la barre.

Elle se dit que c'était un homme solitaire, comme l'étaient souvent les marins.

— Mais c'est agréable d'avoir des coéquipiers, je le reconnais. L'été dernier, je suis monté jusque dans le Maine. Ma famille a encore une maison là-bas. J'essaie d'y passer une semaine ou deux par an pour voir mes neveux. Pour eux, je suis le tonton bizarre qui était curé, avant.

Il sourit : il ne se souciait guère de paraître différent ou de rester seul. C'était également le cas de Ginny... jusqu'à sa rencontre avec Blue.

— Je crois, moi, que je commence à aimer le fait d'être bizarre, répondit-elle avec un air malicieux. C'est aussi ce que ma sœur pense de moi. En fait, je ne sais plus très bien ce qui est normal et ce qui ne l'est pas.

Les vies extraordinaires d'Andrew et de Ginny étaient devenues la norme pour eux. Leurs expériences leur avaient appris qu'il fallait toujours profiter des bons moments, comme cette excursion en bateau, par exemple. À la fin de la journée, Blue était devenu un vrai moussaillon. Andrew reprit la barre et parvint à rentrer au port à la voile : ce n'est que tout près du ponton qu'il alluma le moteur pour accoster. Ginny et Blue l'aidèrent à amarrer, puis le garçon donna un coup de main pour brosser le bateau.

Alors qu'Andrew les reconduisait en voiture, Ginny lui proposa de venir manger un morceau à l'appartement, mais l'avocat déclina : il avait encore des dossiers à préparer. La jeune femme ne savait pas pourquoi, mais quelque chose lui disait que son travail lui servait parfois de prétexte pour garder une certaine distance entre lui et le monde.

— Ce serait cool, si on avait un bateau, déclara Blue dans l'ascenseur.

Ginny éclata de rire.

— Tu commences à avoir des goûts de luxe, Blue Williams !

— Un jour, je deviendrai un compositeur célèbre, je gagnerai beaucoup d'argent et je t'achèterai un bateau, annonça-t-il fièrement.

Elle le regarda en souriant… et se dit qu'il en était bien capable.

17

Le lendemain, Blue n'était pas enchanté à l'idée d'aller voir la psychologue, mais il savait que c'était important pour étayer son dossier. Il fut agréablement surpris en la rencontrant en personne. Sasha Halovich était une petite dame toute ridée qui lui sembla assez âgée pour être la grand-mère de Ginny, mais elle était pleine de bon sens. Elle s'entretint avec Blue pendant deux heures. Puis, avec la permission du jeune garçon, elle invita Ginny à entrer. La thérapeute était convaincue que Blue n'avait rien caché dans sa déposition et qu'il ne refoulait aucun souvenir. Ce qu'il avait raconté était déjà assez horrible, mais elle trouvait qu'il tenait particulièrement bien le coup, en grande partie grâce à Ginny. Mme Halovich n'avait pas jugé utile de recourir à l'hypnose. Elle rédigerait un compte rendu et n'hésiterait pas à témoigner de vive voix au tribunal.

— Il serait bon que Blue vienne me voir de temps à autre afin que je l'aide à traverser les mois à venir, suggéra-t-elle. Toutefois, en témoignant, il a déjà jeté les bases de son rétablissement.

Ginny abonda dans son sens.

Andrew appela le lendemain. Il avait reçu le compte rendu de la psychologue.

— On dirait que Blue s'en sort sacrément bien, dit-il. Il te doit beaucoup.

— Il le doit avant tout à lui-même…, le corrigea Ginny. Et à un tout petit coup de pouce de la part de ses amis. C'est un gamin exceptionnel. Je lui fais confiance pour s'en sortir et réussir dans la vie.

— C'est le secret d'une éducation réussie, commenta Andrew. Le monde se porterait mieux si tous les parents pensaient comme toi.

— Tout ce que je veux, c'est qu'il ait une vie merveilleuse. Et je pense qu'il l'aura.

Aux yeux d'Andrew, ce que Ginny avait accompli en permettant à Blue d'intégrer LaGuardia relevait du miracle. Cette femme changeait le destin d'autrui, non seulement en Syrie ou en Afghanistan, mais aussi chez elle, dans sa vie quotidienne. La procédure judiciaire qu'il orchestrait en leur nom en était la preuve criante. La psychologue l'avait également constaté : la rencontre de Ginny et Blue était miraculeuse.

Peu après, le moment fut venu pour la police de soumettre au grand jury toutes les preuves rassemblées au cours de l'instruction. Les dépositions de parents furieux et d'enfants traumatisés faisaient froid dans le dos. « Père Teddy » avait sodomisé les plus âgés – ses enfants de chœur –, imposé des fellations aux plus jeunes et des attouchements aux plus petits. Sa méthode était toujours la même : il les accusait de l'avoir « tenté » et agitait l'épouvantail de la prison... quand il n'usait pas de menaces physiques. On recensait pour le moment onze victimes à New York et six à Chicago. Andrew et Jane Sanders étaient certains que d'autres se feraient connaître par la suite. Et, comme on pouvait le craindre, il ne serait pas difficile de prouver la complicité tacite de l'archidiocèse.

Deux jeunes prêtres de Saint-François, en effet, avaient sonné l'alarme auprès de leurs supérieurs hiérarchiques, mais rien n'avait été fait à l'encontre du père Graham. Et lorsqu'ils étaient revenus à la charge, ils avaient essuyé une réprimande pour toute réponse. Six semaines plus tard environ, Ted Graham avait été muté à Chicago. L'un des deux jeunes prêtres avait entre-temps quitté l'Église et son collègue envisageait de l'imiter. Ce dernier avait confié à Jane Sanders sa désillusion totale face à sa hiérarchie. Depuis sa plus tendre enfance, il avait rêvé d'embrasser cette vocation, mais c'en était fini. Il craignait que sa pauvre grand-mère ne s'en remette jamais. Elle avait grandi sur le Vieux Continent et deux de ses fils étaient également devenus prêtres. Le pauvre homme ne savait plus à quoi se raccrocher.

À la lecture du rapport de la détective, on réalisait combien de vies avaient été affectées par les perfidies de Ted Graham. Il avait porté atteinte à l'intégrité mentale et physique des victimes, anéanti leurs parents, déchiré leurs familles. Il avait trahi ses pairs et ébranlé leur foi. En outre, le prélat responsable du transfert se retrouvait incriminé à son corps défendant. Il regrettait profondément cette mutation à Chicago, avouait qu'il s'était laissé berner par les beaux discours du père Teddy. Ce dernier s'était érigé en victime et lui avait expliqué que les accusations à son encontre n'étaient que des rumeurs diffamatoires suscitées par la jalousie de certains.

Après délibération, le grand jury vota l'inculpation du père Teddy. Quelques jours plus tard, il était extradé vers New York. Les tribunaux de Chicago le mettraient en examen par la suite. Il descendit de l'avion entre deux shérifs adjoints, mais entra dans la cour suprême accompagné de son avocat et de deux autres prêtres venus témoigner en sa faveur. Il souriait dans la salle d'audience, se montra d'une politesse mielleuse envers le juge et plaida non coupable des onze cas d'abus sexuels sur mineurs. Le verdict tomba : mise en détention provisoire avec une caution à hauteur d'un million de dollars. Tandis que les deux adjoints lui passaient les menottes, il semblait n'éprouver aucune crainte et pas une once de culpabilité.

Ginny fut littéralement écœurée quand Andrew lui décrivit la scène au téléphone.

— Et que se passe-t-il maintenant ? demanda-t-elle. Il va rester en prison jusqu'au procès ?

— Ce serait trop simple, répondit Andrew. D'ici un jour ou deux, l'Église paiera la caution, discrètement. Bien sûr, son avocat a demandé la libération conditionnelle de l'inculpé, arguant qu'il ne risquait pas de fuir avant le jugement, mais le juge a rejeté la requête. Pour le sortir de prison, sa hiérarchie va devoir payer dix pour cent d'intérêts à un prêteur, soit cent mille dollars, et engager le reste de la somme. Ensuite, il leur faudra recommencer à Chicago quand il sera mis en accusation dans l'Illinois.

Pour Ginny et Blue, le parcours du combattant n'était pas terminé. Au cours des mois à venir, l'enquête et l'instruction se poursuivraient. Le jugement n'aurait lieu que dans un an environ – à moins que Graham ne décide finalement de plaider coupable, ce qui épargnerait à l'État une procédure coûteuse.

Tout cela ne laissa guère à Ginny le loisir d'organiser des vacances. Elle et Blue se contentèrent d'aller à la plage sur Long Island, ainsi qu'à un autre concert dans Central Park. Andrew emmena Blue voir *Le Fantôme de l'opéra,* sa toute première comédie musicale sur Broadway, et ils firent une nouvelle excursion en bateau pendant le week-end de Labor Day.

Le 5 septembre, jour de la rentrée à LaGuardia, Ginny accompagna Blue, comme promis, mais n'entra pas dans le bâtiment avec lui. Désormais, il devrait se débrouiller tout seul, dans sa nouvelle vie de lycéen et d'apprenti musicien professionnel. Ginny eut l'impression de revivre l'entrée de Chris au jardin d'enfants ; elle pleura pendant tout le trajet du retour en métro. Ce jour-là, elle se sentit bien seule et eut envie d'appeler Andrew, mais craignit de paraître ridicule. L'avocat n'avait pas de temps à perdre… même si des liens très forts s'étaient noués entre eux grâce à Blue.

En revanche, sa sœur lui téléphona dans la matinée, pour la première fois depuis des semaines.

— Alors comme ça, il est vraiment entré à LaGuardia ?

Étrangement, Becky paraissait moins critique que par le passé. Peut-être était-elle juste moins surmenée… Ses trois enfants avaient repris les cours depuis une semaine et elle appréciait de souffler un peu après un été marqué par le décès de leur père. Ginny lui apprit que le prêtre pédophile avait été mis en accusation et que seize autres victimes avaient été identifiées en plus de Blue. Becky n'en revenait pas.

— C'est fou… Comment un prêtre peut-il faire une chose pareille ? Il va plaider coupable ?

Ah ! Elle consentait enfin à l'écouter ! La découverte d'autres victimes venait soudain corroborer les dires de Blue. Dix-sept personnes, parmi lesquelles plusieurs hommes adultes, ne pouvaient pas inventer le même mensonge…

La même semaine, Ginny reçut également un coup de fil de Kevin Callaghan. Il avait lu un article sur un curé mis en accusation pour abus sexuels à New York et avait fait le lien avec elle. Elle confirma qu'il s'agissait bien du même dossier et le remercia pour les précieux contacts qu'il lui avait transmis.

— Et toi ? Quand repars-tu ? lui demanda-t-il.

— En octobre. Je ne sais pas encore où.

Elle culpabilisait de plus en plus d'abandonner Blue... De son côté, Kevin l'admirait plus que jamais. Dommage qu'elle n'ait pas davantage de temps pour entretenir ses anciennes amitiés, nouer de nouvelles relations ou songer à l'amour... Mais comment l'aurait-elle pu, au milieu de tous ces soucis ? Elle promit cependant de le rappeler avant son départ.

Quoique plus calme, le reste du mois de septembre passa à toute vitesse : Blue prenait ses marques au lycée et Ginny s'occupait de tout un tas de choses à régler avant son prochain départ. Ils invitèrent Andrew un soir. Blue lui parla de ses cours avec enthousiasme et lui montra fièrement ses bonnes notes. L'avocat était impressionné. Le garçon s'épanouissait enfin dans sa vie et sa scolarité.

Andrew et Ginny restèrent à bavarder tous les deux après le dîner. Une réunion de la plus haute importance était prévue à l'archidiocèse. L'Église proposait de payer spontanément des dommages et intérêts aux victimes, de façon à éviter d'en passer par un procès au civil qui lui coûterait bien plus cher. Et si accord il y avait, Ted Graham plaiderait coupable lors du procès au pénal. Les prélats, évêques et archevêques commençaient à comprendre que rien ne sauverait Ted Graham de l'inculpation criminelle. Ils voulaient maintenant connaître l'ordre de prix qu'Andrew avait en tête. Certains indices laissaient penser qu'ils voulaient en finir au plus vite. D'autant qu'il leur faudrait aussi négocier avec chacune des autres victimes.

— Je pense que tu ferais bien de venir avec moi à cette réunion, suggéra doucement Andrew.

— Impossible…, répondit Ginny, une expression de panique dans les yeux. Je ne sais pas encore pour quelle destination, mais je me suis engagée à partir en mission le 1er octobre.

— Ah, si tu ne peux pas, tant pis, c'est comme ça. Mais ce serait beaucoup plus efficace si tu pouvais parler au nom de Blue. Et ton témoignage pèserait plus lourd que celui d'une mère ou d'un père, parce que tu n'es entrée que récemment dans sa vie et que tu es théoriquement plus objective. S'il le faut, je m'en chargerai tout seul, mais si tu as la possibilité de venir, ce serait mieux.

Ce soir-là, son dilemme la tint longtemps éveillée au fond de son lit. Elle en était malade, mais elle ne se voyait pas trahir son obligation envers SOS/HR.

Le surlendemain, Ellen l'appela pour lui dévoiler sa prochaine mission. Le départ aurait lieu dans dix jours. Ils voulaient toujours l'envoyer en Inde, mais dans une région différente, où les conditions seraient plus rudes. Il s'agissait d'un grand camp de réfugiés au Tamil Nadu, dans le sud-est du pays.

Elle y pensa sans interruption pendant trois jours, torturée par les injonctions contradictoires de sa conscience, avant de se décider à aller parler à Ellen.

Au bureau de SOS/HR, elle s'installa face à la directrice et laissa échapper un soupir.

— On dirait que quelque chose te tracasse, remarqua cette dernière en lui tendant son carnet de route.

— C'est fou ce que la vie de tous les jours peut être stressante, remarqua Ginny. C'est beaucoup plus facile quand les seules sources d'inquiétude sont la dysenterie et les snipers.

Ellen se mit à rire : il lui était souvent arrivé de penser la même chose. Elle-même avait longtemps travaillé sur le terrain et cette vie-là lui manquait encore. Mais les maladies, les conditions d'hygiène déplorables et le manque d'accès aux soins avaient eu raison de sa santé, c'est pourquoi elle avait fini par poser son sac et prendre un poste au siège de l'organisation. Ginny, quant à elle, lui semblait en pleine forme physique.

— Si je comprends bien, tu as hâte de repartir ? s'enquit-elle en lui adressant un sourire chaleureux.

Ginny faillit éclater en sanglots. Non, elle n'avait pas hâte, car elle était tiraillée de toutes parts. Et au fond de son cœur, elle savait qu'elle n'avait pas le choix : il lui fallait rester auprès de Blue. Le garçon ne se serait jamais permis de le lui demander, mais elle savait combien il lui en saurait gré. Le moment était venu pour elle de faire ce sacrifice.

— Ellen, je ne sais même pas comment te dire ça… mais je crois que je ne vais plus repartir, au moins jusqu'à la fin de l'année. J'adore ce boulot, mais il se trouve que je suis devenue la tutrice d'un garçon de quatorze ans. Nous sommes impliqués dans un procès au pénal dont il est la victime. Il vient de commencer une nouvelle école. Je me dois de rester dans le secteur pour le moment.

Ellen accusa le coup. Ginny avait l'air profondément malheureuse – et c'était l'une de leurs meilleures collaboratrices. Son désistement représentait une perte importante pour eux.

— Je suis navrée, Ginny. Est-ce que tu vas arrêter le terrain ?

— J'espère que non. Franchement, je n'en sais rien. Il faut que je voie comment les choses évoluent. C'est tout frais, je suis encore en phase d'adaptation avec ce gamin.

— As-tu l'intention de l'adopter ?

Après ce que Ginny venait de dire, la question allait de soi.

— Je vais commencer par devenir sa responsable légale ; je ne suis pas sûre que nous ayons besoin de plus. Mais ce dont il a besoin de façon certaine, c'est que je reste avec lui et le soutienne dans ce moment si important de sa vie.

Sans compter qu'elle ne lui serait plus d'aucun secours si elle se faisait tuer en mission... ce qu'elle s'abstint de dire à Ellen. Son intention n'était pas de laisser tomber SOS/HR, elle voulait seulement un peu de temps pour y voir plus clair. D'ici le mois de décembre, les choses auraient bien évolué...

— Est-ce que je peux prendre un congé sans solde jusqu'à la fin de l'année ? demanda-t-elle, l'air anxieux.

— Tu peux, répondit Ellen. Si tu penses que c'est la meilleure chose à faire...

Sa peine était visible : elle craignait que Ginny ne reparte jamais. Cette dernière la remercia de se montrer aussi conciliante, signa un document pour la demande de congé sans solde et laissa le carnet de route pour l'Inde sur le bureau. Puis elle rentra chez elle. Seule dans son salon, elle avait l'impression que quelqu'un venait de mourir. Elle n'éprouvait aucun soulagement, aucun sentiment de libération à l'idée de rester aux États-Unis.

Alors qu'elle broyait du noir, assise sur le canapé, le téléphone sonna. C'était Andrew. Au son de sa voix, il remarqua tout de suite que quelque chose clochait.

— Eh bien ? Il y a un problème, Ginny ?

— Je viens de demander un congé sans solde jusqu'à la fin de l'année. Je n'avais pas le cœur à laisser Blue tout seul. Mais cela m'en coûte terriblement : je ne suis pas prête à décrocher de l'humanitaire. Ici, je n'ai rien de plus trépidant à faire que les courses à la supérette du coin et les parties de cartes avec Blue... Mais bon... Au moins, comme ça, je ne manquerai pas la réunion à l'archidiocèse le mois prochain.

Si elle l'avait pu, elle se serait coupée en deux pour être partout à la fois.

— Et si tu te ménageais un peu, pour changer ? suggéra Andrew. Peut-être que rester ici pendant quelques mois te fera du bien. Tu sais, la misère du monde n'aura pas disparu en janvier, malheureusement... Tu pourras repartir à ce moment-là. Et au lieu de t'engager pour plusieurs mois d'affilée, tu pourrais peut-être accepter des missions plus courtes ou des interventions d'urgence ?

Elle n'y avait pas songé, mais c'était plutôt une bonne idée.

— En tout cas, reprit Andrew, voilà qui va faire très plaisir à Blue. Je dois dire que c'est aussi mon cas. Et si je t'emmenais dîner au restaurant la semaine prochaine ?

— Pour discuter du procès ?

— Non. Juste parce que tu me plais, répondit-il d'une voix claire et résolue. Tu es quelqu'un de formidable... et moi, je viens de me souvenir que je n'étais plus curé. Est-ce que cela te gêne ?

Il y eut un long silence, au terme duquel elle secoua la tête.

— Non, pas du tout, répondit-elle en esquissant un merveilleux sourire qu'il ne pouvait voir.

— Parfait... Sinon, j'ai une bonne nouvelle pour toi. Il y a un créneau chez le juge des tutelles des mineurs la semaine prochaine. Ils vont auditionner pour le transfert de responsabilité légale. Tu dois être présente, et Blue aussi. Quant à Charlene, elle peut y assister si elle le désire, mais ce n'est pas obligatoire.

Le soir venu, lorsqu'elle annonça à Blue qu'ils passeraient Noël ensemble, le garçon laissa échapper un cri de joie si retentissant qu'on l'entendit probablement jusqu'à Central Park. Quel réconfort pour Ginny ! Sa décision de rester à New York emportait l'adhésion de son fan-club. Elle avait fait le bon choix.

L'audience au service des affaires familiales se révéla n'être qu'une simple formalité. Le juge, informé de la procédure pénale en cours, se montra extrêmement bienveillant envers Blue. Il respectait profondément le travail de Ginny en faveur des droits de l'homme et tout ce qu'elle avait fait pour son protégé. Charlene vint assister à l'audience : c'était la première fois qu'elle revoyait son neveu depuis un an et leurs retrouvailles avaient quelque chose d'emprunté. À la sortie du tribunal, ils invitèrent la tante de Blue à déjeuner, mais cette dernière se sauva rapidement, prétextant qu'elle avait à faire.

Ainsi, Ginny devint officiellement la tutrice du garçon... Un engagement fort et une étape importante de leur vie. Quelque chose de magique, même. La marque du destin...

18

En octobre, la réunion à l'archidiocèse laissa à Ginny un sentiment de confusion mêlée de frustration. Andrew lui-même perdit son calme légendaire et se prit le bec avec Mgr Cavaretti à plusieurs reprises. Ils se renvoyaient des menaces implicites comme des balles de tennis, certaines moins implicites que d'autres. Cette fois-ci, pas moins de six prélats étaient présents. Andrew usa tour à tour de diplomatie et de fermeté, mais les autres leur faisaient sans cesse miroiter un accord à l'amiable, avant de faire machine arrière, déclarant qu'il n'en serait jamais question. Andrew savait bien que leur but était de les déstabiliser, mais ce n'en était pas moins fort agaçant. Sans compter que les prélats continuaient à insinuer que les garçons mentaient et que le père Teddy était innocent.

— Vous prétendez que dix-sept personnes, aussi bien des petits garçons que des hommes faits, seraient capables d'inventer de tels mensonges ? Ce sombre personnage est un sociopathe et un pédophile qui insulte le ministère de Dieu ! Je ne suis peut-être plus prêtre, mais je ne tolère pas qu'il prétende en être un. Sachant ce qu'il faisait, comment avez-vous osé le couvrir et le laisser récidiver ?! La vie détruite de ces enfants, c'est comme du sang sur vos mains. Vous êtes aussi responsables que lui... Et vous savez aussi bien que moi qu'il finira en prison. Vous nous faites perdre notre temps !

Au bout de trois heures d'un échange de plus en plus violent, Mgr Cavaretti finit par admettre que cette conversation ne menait nulle part et mit fin à la réunion.

Dans la rue, les yeux d'Andrew lançaient encore des éclairs.

— À quoi bon défendre un homme quand on le sait coupable ? À mon avis, ils voulaient seulement savoir si nous flancherions. Mais Cavaretti me connaît. Je n'aurai pas de repos tant que Teddy Graham ne sera pas arrêté et inculpé. Et coûte que coûte, j'obtiendrai pour Blue le dédommagement maximal.

Les deux semaines suivantes furent plus calmes pour Ginny et Blue. Andrew était très pris par d'autres affaires, mais il parvint néanmoins à inviter Ginny dans un bon restaurant italien, où ils passèrent un excellent moment à parler de tout sauf du procès. Ils se sentaient de plus en plus attirés l'un par l'autre, et avaient envie de faire plus ample connaissance.

Après cet agréable premier rendez-vous, l'avocat ne donna plus de nouvelles pendant un moment.

Tous les soirs, Ginny s'efforçait d'aider Blue dans ses devoirs. Il excellait en musique et trouvait même le temps de composer pour le plaisir, mais il y avait vraiment un bond entre le collège et le lycée dans les matières académiques. Ginny n'avait aucun problème en histoire et en littérature, en revanche elle devait fournir un gros effort pour convoquer ses souvenirs dans les sciences dures telles que la chimie.

Un après-midi, alors qu'elle rentrait de la salle de sport où elle s'était inscrite pour se maintenir en forme, elle s'arrêta au kiosque pour acheter des magazines. C'est alors qu'elle vit une photo d'elle à la une du *New York Post* et une autre sur celle du *National Enquirer*. Il s'agissait de clichés datant de l'époque où elle présentait les informations télévisées. Elle acheta ces deux titres et rentra chez elle en toute hâte. Le papier du *New York Post* était proche de la vérité concernant le procès, mais concluait sur une note détestable qui n'avait rien à voir. On y lisait un résumé fidèle de la procédure judiciaire en faveur de Blue, dont l'identité restait protégée par l'anonymat. Malheureusement, l'article poursuivait en disant que Virginia Carter avait totalement disparu de la scène médiatique depuis le jour fatal où, quatre ans plus tôt, son mari et elle avaient trop bu à l'occasion d'une fête avant Noël. Ivre, le célèbre présentateur était responsable de son propre décès au volant, ainsi que de celui de leur petit garçon de trois ans. Virginia Carter s'était coupée du monde depuis. Le journaliste insinuait qu'elle ne se remettait pas de ces deuils et souffrait de graves troubles psychiatriques.

La façon dont les faits étaient présentés laissait penser qu'elle était alcoolique et ne dessaoulait pas depuis quatre ans !

Le journaliste se demandait ensuite comment elle s'était retrouvée associée à un jeune SDF et empêtrée dans le dernier scandale de l'Église catholique. En conclusion, il annonçait que le prévenu du procès serait jugé dans le courant de l'année suivante. Les autorités ecclésiastiques refusaient tout commentaire, tandis que l'avocat du pupille de Mme Carter, un ancien jésuite du nom d'Andrew O'Connor, ainsi que Mme Carter elle-même demeuraient aux abonnés absents. Les derniers mots de l'article étaient « À suivre... Restez connectés pour de nouveaux scoops ! », c'est-à-dire la formule par laquelle elle clôturait son direct à la télévision.

Elle resta à contempler le journal sans bouger. Quelqu'un leur avait parlé... Elle ne savait pas qui, mais elle n'aimait pas ça du tout. Le reporter avait pu se procurer sans difficulté la liste des accusations contre Ted Graham auprès du greffe du tribunal, mais les autres détails lui avaient forcément été transmis par un informateur. Et, comme s'il n'était pas assez cruel pour elle de se retrouver sous les feux des projecteurs à l'occasion d'une affaire comme celle-là, le tabloïd revenait sur le drame de sa vie, distillant des propos mensongers et insultants.

Quant à l'*Enquirer*, c'était pire. On y voyait une vieille photo d'elle barrée d'un énorme point d'interrogation, accompagnée du gros titre suivant : « De retour d'entre les morts avec un petit ami SDF de 14 ans ? » Voilà qui laissait entendre qu'elle était plutôt du côté des accusés dans cette affaire ! Elle appela Andrew sur-le-champ.

— Tu as vu le *Post* et l'*Enquirer* aujourd'hui ?

Il répondit à sa question anxieuse par un éclat de rire.

— Euh... non, ils ne font pas partie de mes lectures préférées. Moi, je lis plutôt le *New York Times*, le *Wall Street Journal* et le *Financial Times* quand j'en ai le temps. Pourquoi ?

— Je suis à la une. L'*Enquirer* décroche le pompon dans le genre sordide, et le *Post* semble en savoir long sur le procès... En plus, il tente de me faire passer pour une alcoolique à cause de l'accident de Mark. À ton avis, ils relaient la voix de qui ?

— Excellente question... Tu t'y connais mieux que moi en journalisme d'investigation. Je ne pense pas que Cavaretti soit capable de tomber si bas. Il nous en fait voir de toutes les couleurs, mais c'est un homme responsable. La tante de Blue a peut-être dit quelque chose. Dès qu'ils ont eu ton nom, il leur aura suffi de faire des recherches.

Il baissa la voix :

— Oh, Ginny, je sais que ça doit te faire mal, mais n'y prête pas attention. Personne ne lit ces torchons.

— Toi, non, mais tu sais bien que ces tabloïds ont des tirages astronomiques au contraire. Tu te rends compte ? À demi-mot, l'*Enquirer* m'accuse de détournement de mineur ! Pour l'amour de Dieu, ce sont de grands malades ! Quand je vois des gens pareils, j'ai honte d'avoir un jour détenu une carte de presse.

— Oui, c'est l'effet que me fait Ted Graham, en tant qu'ancien prêtre.

— Que vais-je faire si Blue voit tout ça, ou s'ils commencent à nous harceler ? Ils sont capables de nous pourrir la vie...

— Tu devrais lui en parler, Ginny. Sinon quelqu'un s'en chargera avant toi.

— Je n'ai aucune envie de lui montrer de telles horreurs...

Elle suivit néanmoins le conseil d'Andrew. Cet après-midi-là, elle expliqua à Blue que cette presse de caniveau ne méritait pas qu'on lui accorde la moindre attention. Ils discutèrent de cette nuit où Mark était mort et elle avoua qu'il avait bu un peu plus que d'habitude, même si elle ne s'en était pas rendu compte. Il ne paraissait absolument pas ivre, sans quoi elle ne l'aurait pas laissé conduire. Seule l'analyse de sang avait révélé qu'il dépassait la limite autorisée.

— Ma pauvre, tu as du te sentir *trop* mal ! compatit Blue.

— Oui, c'est vrai, et je me sens toujours aussi coupable. Si j'avais pris le volant, ils seraient encore là, lâcha-t-elle en fondant en larmes.

L'adolescent ne l'avait jamais vue dans un tel état. Il tenta alors de détendre l'atmosphère :

— Nan, mais de toute façon, tu vois bien que c'est n'importe quoi, ce truc ! Ils croient que je suis ton mec ?

D'indignation, sa voix se fêla sur le dernier mot, ce qui les fit tous deux éclater de rire.

— Enfin, tout cela ne me plaît pas du tout, reprit Ginny. Après la mort de Mark, ces charognards m'ont harcelée pendant des mois pour voir ce que je devenais. En l'occurrence, je pleurais nuit et jour. Penses-tu que ta tante ait pu donner mon nom ?

— Possible. Par contre, je ne la vois pas se déplacer jusqu'au journal pour te balancer. C'est juste qu'elle est bavarde et qu'elle adore les ragots. À moins qu'elle ait voulu se venger de toi parce que tu t'en prends au père Teddy. N'empêche, je savais pas que t'étais une star !

— Disons que j'étais assez connue à l'époque, et Mark aussi. Mais franchement, personne ne se demandait plus ce que j'étais devenue, et voilà que ça recommence...

— Pardon, Ginny. Si tu n'avais pas essayé de m'aider, ils n'écriraient pas ces horreurs. Tout est de ma faute...

— Ne dis pas de bêtises, Blue. Ce qui est arrivé à ma famille n'a rien à voir avec toi et tu as eu entièrement raison de témoigner contre le père Teddy. C'est moi qui te l'ai conseillé, de toute façon. Tous les jours, des tas de choses arrivent, bonnes ou moins bonnes. Ce qui compte, c'est la façon dont on réagit. On ne peut pas se laisser briser par la première tempête, il faut se battre. La culpabilité et les regrets ne mènent à rien.

Elle se leva d'un air décidé et jeta les deux journaux à la poubelle.

— Ce qui me console, c'est que ce tissu d'âneries servira dès demain de litière dans une cage à cochon d'Inde.

Blue acquiesça, mais il ne semblait pas convaincu.

Pour couronner la journée, Becky téléphona après le dîner.

— Mon Dieu, Ginny, il ne nous manquait plus que tu fasses la une des tabloïds ! C'était déjà assez horrible comme ça après l'accident. Les gens n'arrêtaient pas de me demander si Mark et toi étiez alcooliques.

Ginny cligna des yeux, comme sous l'effet d'une gifle, mais Becky ne s'en tint pas là :

— Est-ce que tu réalises combien c'est dur pour nous, d'entendre parler de ton petit ami de quatorze ans à la une de l'*Enquirer* ?

— D'abord, je n'ai pas de petit ami de quatorze ans. Ensuite, tu crois vraiment que je leur ai accordé une interview ?

— Pas la peine, je sais : ta vie est un soap opera ! Tu as pensé au nombre de gens auxquels je vais être obligée d'expliquer tout ça ? Et ce pauvre Alan au bureau ! Nous menons une vie calme et respectable, mais tu te débrouilles toujours pour glisser sur une peau de banane et atterrir dans les médias. J'en ai assez !

— Eh bien, moi aussi, figure-toi, j'en ai assez. J'aimerais que tu te décides à grandir un de ces jours, que tu t'aperçoives que le monde existe en dehors de la petite bulle où tu vis ! Pendant que je m'échine à sauver les gamins en Afghanistan, tu ne pousses jamais plus loin que le supermarché et le pressing à Pasadena. Ta maison et ta piscine, ton mari et tes gosses, il n'y a que ça qui t'intéresse ! Moi aussi, j'ai eu un mari et un enfant, mais je n'ai pas eu autant de chance que toi et j'essaie aujourd'hui de changer les choses pour les autres, au lieu de me morfondre dans mon coin. Alors ne viens pas me dire ce que je dois faire ! Quand cesseras-tu enfin de me critiquer ? Pour qui est-ce que tu te prends ?

À l'autre bout du fil, Becky était au bord de l'asphyxie.

— C'est bon, j'en ai ma claque ! hurla-t-elle, tremblante de fureur. J'en ai assez de te trouver des excuses quand les gens me disent que tu es bizarre. Tu ne m'entraîneras plus dans tes sombres histoires ! Ça ne te dérange peut-être pas de faire les choux gras de la presse à scandale, mais moi, si ! Fiche-moi la paix, maintenant !

Sur ce, elle lui raccrocha au nez. Blue avait tout entendu.

— Elle est véner contre toi ? demanda-t-il, les yeux pleins de remords.

— Elle l'est toujours, quoi que je fasse. Ne t'inquiète pas, va. Elle s'en remettra.

— Tout est de ma faute…, gémit-il.

Quand vint l'heure de se coucher, elle alla l'embrasser dans son lit.

— Sans moi, murmura-t-il, tu ne serais pas dans le journal et les journalistes n'auraient pas dit toutes ces conneries sur Chris et Mark.

— Et quand bien même ? Ils sont partis. Les gens peuvent bien dire n'importe quoi, ça n'y changera rien. Toi, Blue, tu n'as rien fait de mal. Au contraire, tu as fait exactement tout ce qu'il fallait depuis que tu es entré dans ma vie. Alors maintenant, arrête de t'inquiéter pour ça et tâche de dormir.

Un peu plus tard, alors qu'elle était allongée dans le noir de sa chambre, elle-même s'efforça de ne pas trop penser aux journaux ni à sa dispute avec sa sœur. Elle s'en voulait de s'être énervée, même si certaines choses devaient être dites. Après avoir rejoué la scène plusieurs fois dans sa tête, elle sombra dans un sommeil agité.

Le lendemain au réveil, elle lut le *New York Times* sur Internet en buvant son café. Ils ne disaient rien sur elle, mais publiaient une excellente tribune contre l'Église catholique qui avait trop longtemps couvert les prêtres pédophiles. Ginny fut tentée de l'envoyer à sa sœur, avant de se raviser : inutile de jeter de l'huile sur le feu.

Elle attendait que Blue se lève pour lui préparer son petit déjeuner, mais elle s'aperçut soudain qu'il allait être en retard. Il n'avait pas dû entendre son réveil… Elle entra dans sa chambre et releva le store. Alors qu'elle se retournait pour lui adresser un sourire, elle vit qu'il était enfoui sous la couette.

— Debout, c'est l'heure, Blue ! lança-t-elle en lui tapotant l'épaule.

Sauf que ce n'était pas son épaule, mais un oreiller. Tirant doucement la couette, elle ne trouva qu'un traversin et un petit mot :

Chère Ginny,

Partout où je vais, je crée des problèmes. Pardon pour les journaux et tout ce qu'ils racontent, tout ça c'est à cause de moi et de père Teddy. Pareil pour ta dispute avec Becky... c'est de ma faute. Tu n'es plus obligée d'être ma tutrice si tu n'en as plus envie. Merci pour tout ce que tu as fait pour moi. Je n'oublierai jamais. Je t'aime,
Blue

Alors qu'elle lisait, les larmes roulaient le long de ses joues. Elle jeta un coup d'œil circulaire dans la pièce, puis ouvrit le placard. Il avait emporté son sac à roulettes, ses deux blousons, quelques tee-shirts, chaussettes et caleçons, ainsi que ses Converse et ses baskets. La brosse à dents, le dentifrice et le peigne avaient disparu. Tous ses manuels scolaires étaient empilés sur le bureau, mais elle vit qu'il avait emporté son téléphone et son ordinateur : elle l'appela aussitôt. Comme il ne répondait pas, elle lui envoya un SMS. *Où es-tu ? Rien n'est de ta faute. Reviens. Je t'aime, Ginny.*

Elle attendit plusieurs minutes. Rien... Elle appela Andrew d'une main tremblotante.

— Il s'est enfui !

— Qui ? demanda l'avocat, distrait.

— Blue.

— Comment ça, il s'est enfui ? Quand ?

— Au milieu de la nuit. Je viens de trouver un petit mot dans son lit.

— Que dit-il ?

— Il s'excuse. Il culpabilise pour ce qu'il y avait dans les journaux hier. Becky et moi nous sommes disputées à ce sujet, et il a tout entendu. Elle dit que je lui fais honte et Blue s'accable lui-même.

— Tu as essayé de l'appeler ?

— Oui, bien sûr... Il ne répond pas.

Andrew marqua une pause. Blue était débrouillard, et il connaissait bien la vie dans les rues de New York.

— Si tu attendais un peu de voir ce qu'il fait aujourd'hui ? suggéra-t-il. Il finira par se calmer et rentrera probablement dans l'après-midi.

— Non, il est persuadé d'avoir fichu ma vie en l'air !

Blue était pourtant la meilleure chose qui lui soit arrivée depuis quatre ans.

— Ne panique pas. Même s'il fugue pendant un jour ou deux, il reviendra. Il t'aime, Ginny.

— C'est ce qu'il dit dans son message..., murmura-t-elle, la gorge serrée.

— Essaie de te détendre... Il va rentrer, j'en suis sûr. Les garçons de son âge font souvent ce genre de choses, surtout avec tout ce qu'il lui arrive.

Bien qu'Andrew n'eût pas de vraie réponse à lui apporter, sa voix était apaisante.

— Je ne sais pas par où commencer pour le chercher.

— Pour le moment, ce n'est pas la peine. Il fait grand jour. Je passerai chez toi après le boulot, comme ça nous pourrons le chercher ensemble. Appelle-moi s'il donne signe de vie.

Elle passa la journée à attendre Blue et à lui envoyer régulièrement mails et SMS. Quand Andrew arriva, à dix-huit heures, elle avait l'impression d'avoir tourné en rond dans une cage pendant des heures. Elle n'avait rien mangé, mais bu quatre tasses de café : elle avait la tremblote.

— Et s'il ne revenait pas ? Il ne me reste que lui, gémit-elle, le visage baigné de larmes.

Spontanément, Andrew passa un bras autour de ses épaules et l'enlaça. Il sentait son cœur battre contre sa poitrine.

— Mangeons d'abord un morceau, ensuite nous irons faire un tour dehors.

À son tour, Andrew envoya un SMS à Blue. Et quand il essaya de téléphoner, il tomba tout de suite sur sa boîte vocale.

Il prépara des sandwichs avec ce qu'il dégota dans le réfrigérateur. Sachant qu'ils risquaient d'arpenter les rues pendant un certain temps, il était passé chez lui pour enfiler un jean, un pull, un sweat à capuche et une paire de baskets.

Ils allèrent d'abord au McDonald's où Ginny et Blue avaient dîné le soir de leur rencontre. Puis à sa pizzeria préférée. À plusieurs autres grills et fast-foods. À la salle de bowling. Ils attendirent un long moment à la sortie d'un cinéma multiplexe, puis, vers vingt-trois heures, ils se dirigèrent vers Penn Station. Ils traversèrent les voies pour rejoindre le tunnel où Blue s'était réfugié après s'être enfui de Houston Street. Il y avait là cinq ou six gamins, mais un seul d'entre eux connaissait Blue. Il affirma ne pas l'avoir croisé dans le secteur depuis plusieurs mois. Ginny téléphona à Houston Street : personne ne l'avait vu, mais ils passeraient le message à la patrouille de nuit. En revanche, elle ne prit pas la peine de téléphoner à sa tante : il ne serait pas retourné chez elle, de toute façon.

À minuit, Ginny s'assit sur un banc de Penn Station, le menton dans les mains. Son petit protégé était introuvable... Andrew s'installa tout près d'elle et tenta de la réconforter.

— Qu'est-ce que je vais faire ? gémit-elle.

— On ne peut qu'attendre. Je suis sûr qu'il va rentrer.

C'est alors que Ginny pensa à Lizzie, sa nièce. Avec le décalage horaire, il était encore assez tôt pour appeler en Californie. La jeune fille décrocha : elle n'avait pas eu de message de Blue ce jour-là et supposait que sa journée au lycée avait été chargée.

— Quelque chose ne va pas ? demanda-t-elle à sa tante.

Ginny ne voulut pas l'inquiéter :

— Si tu as des nouvelles, dis-lui juste que je le cherche et qu'il doit rentrer à la maison.

— OK, dit Lizzie d'un ton léger, avant de raccrocher.

Ginny soupira et leva les yeux vers Andrew.

— Merci de me soutenir.

— Pas de quoi. Je ne t'ai pas servi à grand-chose.

— À deux, c'est moins dur... Nous ferions sans doute mieux de rentrer.

Ils ressortirent de la gare à pas lents, puis Andrew héla un taxi. En route, elle s'appuya contre son épaule, à la recherche de réconfort.

Quand ils arrivèrent devant l'immeuble de Ginny, elle suggéra qu'ils marchent un peu le long de l'East River pour voir si Blue ne s'était pas installé sur un banc. On était en octobre et les nuits étaient fraîches malgré des journées clémentes. En marchant ainsi, à contempler les eaux noires du fleuve, elle se souvint de sa première rencontre avec le jeune garçon. Ils s'assirent et Andrew l'attira contre lui.

— Ce pauvre enfant est bourré de culpabilité, déclara-t-elle. Entre les âneries des tabloïds et ma sœur qui me dit que je suis bizarre, que je lui fais honte...

Elle sourit à Andrew :

— D'un autre côté, elle n'a pas tout à fait tort. Voilà quatre ans que je bourlingue pour expier la mort de mon fils et de mon mari. Ma sœur n'y comprend rien, elle qui vit dans un monde grand comme une tasse à thé.

— Blue et toi avez beaucoup en commun, remarqua doucement Andrew. Tandis que tu te reproches toujours de n'avoir pas pris le volant toi-même ce soir-là, Blue entend probablement la voix du père Teddy dans sa tête, qui lui répète qu'il l'a « tenté », que c'est de sa faute. Même s'il sait maintenant que ce n'est pas vrai, il lui faudra beaucoup de temps avant que cette voix se taise. La meilleure chose que tu aies faite pour lui, c'est de lui prouver – par tes mots mais aussi par tes actes – qu'il est digne d'estime, que tu es à ses côtés et qu'il n'est coupable de rien. Quand je t'ai rencontrée, tu ne m'as pas dit que tu voulais lui assurer une belle vie, mais une vie « merveilleuse ». Eh bien, tu as déjà réussi. Et un jour, grâce à toi, cette voix accusatrice disparaîtra complètement de sa tête, parce que la tienne est plus forte et ne cesse de proclamer qu'il est un gamin formidable.

Profondément touchée par ces paroles, Ginny leva vers lui un regard interrogateur :

— Comment sais-tu tout ça ? Comment peux-tu en être si sûr ?

Il hésita un instant, puis fixa un point invisible. Les souvenirs refaisaient surface.

— Il m'est arrivé la même chose quand j'étais gosse. J'avais onze ans. Le père John était un grand et gros bonhomme, sympa et marrant. Il avait promis de me laisser lire sa fantastique collection de BD et de me montrer ses cartes de joueurs de base-ball. Je suis allé chez lui, et il m'a fait à peu près la même chose que le père Teddy à tous ces pauvres gosses. Lui aussi, il m'a dit que c'était de ma faute parce que je l'avais tenté et que le diable me foudroierait sur place si j'en parlais à qui que ce soit. J'ai mis plusieurs mois avant de le dire à mes parents.

Andrew inspira profondément, avant de reprendre :

— Mes parents ne m'ont pas cru. Dans la paroisse, tout le monde adorait le père John, alors que moi j'étais plutôt du genre polisson. Le sujet était donc clos. J'ai compris que c'était quelqu'un de très dangereux, mais en même temps j'avais honte de ce qu'il m'avait fait. J'ai décidé qu'un jour moi aussi je deviendrais curé, mais un très, très bon curé, de façon à m'acquitter auprès du bon Dieu. À la fin du lycée, je suis entré directement au séminaire. Et ainsi que je l'avais promis à Dieu, je suis devenu un très, très bon prêtre.

Il baissa la tête.

— Mais je n'étais pas heureux. Contrairement à ce que j'avais d'abord pensé, je n'avais pas la vocation. Je voulais tomber amoureux et fonder une famille... J'ai songé à quitter la prêtrise et à nouveau la culpabilité m'a assailli. Et puis on a commencé à parler de ces prêtres pédophiles. Le père John n'a jamais été inquiété, alors qu'il a sans doute abusé de centaines d'enfants au fil des années. Mais quand le scandale a éclaté à grande échelle, je n'ai plus eu qu'une idée en tête : me défaire de mes vœux et devenir avocat pour défendre ces gamins que personne ne voulait croire. Car si j'avais essayé de le faire depuis l'intérieur de l'Église, j'aurais été soumis à des pressions terribles.

Après un profond soupir, il poursuivit :

— Donc j'ai fini par partir et par cesser de culpabiliser. Le statut de prêtre me manque parfois – de nombreux aspects de cette fonction me plaisaient bien. Mais je suis bien plus heureux maintenant que j'aide des enfants comme Blue à envoyer les prêtres corrompus derrière les barreaux. Je n'ai pas besoin d'être prêtre pour ça. Le plus étrange... c'est qu'il devait me rester un peu de la culpabilité de mon enfance. Mais quand je t'ai vue croire en Blue, le soutenir et le défendre, quelque chose en moi a été guéri. Tu es quelqu'un de très apaisant, Ginny, et tu es pleine d'amour. Il n'y a besoin de rien de plus pour réparer les dégâts infligés aux gens comme Blue et moi, ou du moins pour nous mettre sur la voie du rétablissement.

Il la fixa intensément.

— Tu sais, Ginny, toi non plus, tu n'es coupable de rien. Nous devons seulement nous autoriser à panser nos blessures. N'avons-nous pas mieux à faire que nous épuiser à battre notre coulpe ?

Il l'attira plus près de lui.

— Je suis navrée pour ce qui t'est arrivé, Andrew.

— Je vais bien, maintenant, et Blue finira lui aussi par s'en sortir. Il fait partie des chanceux, comme moi. Il n'y a qu'à voir ce qui se passe entre lui et toi.

Elle acquiesça et ses pensées revinrent vers le jeune garçon. Pourvu qu'il se décide à rentrer bientôt… Alors qu'elle relevait les yeux vers Andrew, il se pencha vers elle, l'enveloppa de ses bras et posa ses lèvres sur les siennes. Il en avait envie depuis le tout premier jour. Elle était encore plus belle qu'à la télévision. Elle répondit à son baiser et ils restèrent enlacés un long moment, sur ce banc, au bord de l'East River.

Alors qu'ils se relevaient et prenaient lentement la direction de l'appartement, une pensée traversa l'esprit de Ginny.

— Attends une minute, souffla-t-elle en faisant demi-tour.

Elle se dirigea tout droit vers la cabane où elle avait aperçu Blue pour la première fois, à quelques pas de là. Elle contempla l'abri sans bouger pendant un instant et constata que le cadenas n'y était pas. Quelque chose remua à l'intérieur. Elle ouvrit lentement la porte... et découvrit Blue, assis par terre, penché sur son ordinateur, son sac à côté de lui. Surpris, il leva les yeux et dit la première chose qui lui passa par la tête :

— On ne t'a pas appris à frapper ?

— Tu n'habites plus ici, riposta Ginny, un grand sourire aux lèvres. Allez viens, on rentre à la maison.

Il la scruta pendant une seconde, perplexe, puis ramassa ses affaires, se leva et sortit de la cabane. Il ne demanda pas ce qu'Andrew faisait là, remarqua juste que tous deux semblaient très contents de le voir. Ginny passa un bras autour de sa taille et, alors qu'ils marchaient sur l'allée piétonnière, elle l'entraîna vers la balustrade au bord du fleuve.

— Je veux te montrer quelque chose, dit-elle doucement. Tu vois, c'est l'endroit où je me trouvais la première fois que je t'ai rencontré. Tu te rappelles ? Eh bien... tu sais ce que je m'apprêtais à faire ? J'allais me jeter à l'eau... parce que ma vie n'avait pas de sens. C'était juste avant l'anniversaire de l'accident et je ne pensais pas pouvoir continuer une minute de plus. C'est alors que je t'ai aperçu en train de te faufiler dans la cabane, puis je t'ai emmené au McDo et tu connais la suite... Cette nuit-là, Blue, tu m'as sauvé la vie.

Après un coup d'œil à Andrew, elle poursuivit :

— Et pense à toutes les vies que tu as transformées, tous ces garçons que tu as aidés en parlant le premier. Finalement, on s'aide tous les uns les autres, tu ne crois pas ? Alors si tu essaies encore de fuguer, je te botte le train, compris ? conclut-elle avec un grand sourire.

Il sourit à son tour. Puis, reprenant son sérieux, il lui demanda :

— Tu voulais vraiment te tuer ce soir-là ?

Elle acquiesça en silence. Andrew aurait voulu la serrer dans ses bras de toutes ses forces, mais il n'osa pas devant Blue.

Alors que tous trois rentraient à l'appartement sans se presser, Ginny se tourna vers le garçon.

— Que dirais-tu d'officialiser ?

— Officialiser quoi ?

— Aimerais-tu que je t'adopte ?

Blue s'arrêta net :

— T'es sérieuse ?

— Bien sûr. Si je n'étais pas sérieuse, je ne t'en parlerais pas.

— Ah ouais, ce serait vraiment cool ! Elle peut faire ça ? demanda-t-il en se tournant vers Andrew.

— Cela prendra un peu de temps, mais c'est possible, si vous le voulez tous les deux.

— Je le veux, répondit Ginny d'un ton résolu.

— Moi aussi, lâcha Blue sur le même ton.

L'avocat s'attarda un instant sur le palier pour dire au revoir à Ginny.

— Merci de m'avoir accompagnée ce soir, Andrew... et merci pour tout ce que tu m'as dit.

— Je n'ai rien dit que je ne pensais. Tu es une femme exceptionnelle, Ginny. J'espère que nous pourrons passer un peu de temps ensemble avant ton prochain voyage. Je ne supporte pas de t'imaginer dans ces endroits aussi dangereux.

Les yeux d'Andrew se voilèrent. Elle acquiesça. Elle aussi commençait à avoir peur, mais ce n'était pas le moment de se lancer dans une telle discussion. Ils avaient déjà beaucoup avancé ce soir-là. Il se pencha pour déposer un baiser sur ses lèvres avant de s'en aller. En entrant dans la cuisine, Ginny trouva Blue en train de fouiller dans le frigo, affamé.

— Bienvenue chez toi, Blue.

Il se retourna et répondit à son sourire. Il rayonnait de bonheur.

19

Deux semaines après la fugue de Blue, Mgr Cavaretti sollicita une fois de plus Andrew et Ginny pour une entrevue, sans annoncer l'ordre du jour. Le dossier n'avait pas avancé au cours des dernières semaines, aucune nouvelle victime ne s'était déclarée. Le père Teddy était en liberté conditionnelle dans un monastère proche de Rhinebeck, au bord de l'Hudson. Et au grand soulagement de Ginny, plus rien n'était paru dans les tabloïds.

Andrew retrouva la jeune femme devant l'archidiocèse. Ils avaient dîné ensemble la veille et, entre eux, les choses progressaient lentement, mais sûrement. Il la caressa du regard alors qu'ils entraient dans le bâtiment. Quelques minutes plus tard, on les introduisit dans le bureau privé de Mgr Cavaretti. L'espace d'un instant, Andrew se remémora leurs interminables discussions à Rome au sujet du droit canon.

Cette fois-ci, le prélat ne souriait pas en les invitant à s'asseoir.

— Je voulais vous parler à tous deux, commença-t-il d'un ton grave. Vous vous en doutez, cette situation pèse lourdement sur chacun d'entre nous. Ces histoires ne sont pas reluisantes et toutes les parties en présence y perdent des plumes, y compris l'Église.

Il regarda Andrew droit dans les yeux :

— Je voulais vous dire que Ted Graham s'apprête à comparaître sur reconnaissance préalable de culpabilité, autrement dit à plaider coupable. Il ira se présenter aux autorités dès demain. Inutile de prolonger tout ceci indéfiniment. Les faits sont avérés, et nous sommes tous profondément sensibles à la souffrance des enfants qui en ont été les victimes.

Andrew n'en revenait pas : il n'avait jamais vu le prélat faire preuve d'autant d'humilité et de compassion.

— Je voudrais discuter avec vous du versement des dommages et intérêts, poursuivit-il. L'archidiocèse de New York a fait remonter l'affaire jusqu'au cardinal, et même jusqu'au Saint-Siège. Nous voudrions proposer à Blue Williams la somme d'un million et sept cent mille dollars, à placer sur un compte bloqué jusqu'à ses dix-huit ans. Madame, cette offre vous semble-t-elle acceptable ?

On pouvait lire dans les yeux du prélat toute son admiration pour ce que Ginny avait fait en faveur de Blue.

Elle jeta alternativement un coup d'œil à Andrew et au prélat, puis elle hocha la tête sans un mot, stupéfaite et pleine de gratitude. C'était bien plus qu'elle n'avait espéré. Voilà qui changerait radicalement le destin de Blue, son éducation, son sentiment de confiance dans l'avenir, sa liberté de choix. Justice avait été rendue, et c'était tout à l'honneur du prélat.

— Cela vous satisfait-il aussi, monsieur le conseiller juridique ?

Andrew le gratifia d'un sourire. Un regard de respect et d'affection mutuelle passa entre les deux hommes.

— Cela me satisfait pleinement, monseigneur Cavaretti, et je suis très fier d'avoir été associé à cette prise de décision collective.

Cavaretti se leva.

— Nous allons rédiger l'accord de reconnaissance de culpabilité. Il comprendra bien entendu une clause de confidentialité. Nous n'avons aucun intérêt à parler à la presse.

Andrew et Ginny acquiescèrent vigoureusement, puis serrèrent la main de l'homme d'Église.

Ils quittèrent le bâtiment sans prononcer un mot.

— Nom d'un chien ! s'exclama Andrew dans la rue. On a réussi ! Seigneur... Ou plutôt *tu* as réussi, toi qui parlais d'offrir une vie merveilleuse à Blue ! Dire que tu aurais pu te contenter d'écouter son histoire et ne pas lever le petit doigt pour l'aider. Mais au lieu de ça, tu as eu le cran de faire triompher la vérité. Maintenant, le ton est donné pour toutes les autres victimes de Ted Graham.

L'Église catholique avait les moyens. Et l'avocat n'oublierait jamais l'intervention de Cavaretti dans ce sens.

Ginny et Andrew déjeunèrent au restaurant pour fêter l'événement. C'est à la table du dîner qu'ils annoncèrent la nouvelle à Blue. Il en resta bouche bée. Comment aurait-il pu imaginer posséder une telle somme un jour ?

— Waouh, la vache ! Je suis riche ! Est-ce que je pourrai me payer une Ferrari quand j'aurai dix-huit ans ?

Ginny éclata de rire, avant de répondre d'un air sévère :

— Non, tu pourras te payer des études, et c'est beaucoup mieux.

Le lendemain, Ginny appela Kevin Callaghan. Elle lui apprit que le prêtre pédophile allait plaider coupable et que l'archidiocèse avait accordé des dommages et intérêts à Blue. Elle le remercia du fond du cœur de lui avoir recommandé Andrew. Ce dernier s'était révélé être l'homme de la situation.

— Formidable ! répondit le journaliste.

Il lui rappela qu'elle devait absolument l'appeler la prochaine fois qu'elle serait de passage à L.A. Il venait de réaliser qu'il aurait toujours un faible pour elle. Et même s'il savait qu'il n'avait aucune chance, il se plaisait à rêver...

Au mois de novembre, Ellen Warberg se manifesta. Depuis plusieurs semaines, Ginny était préoccupée par son travail. Elle avait toujours la bougeotte, mais ce métier n'était plus compatible avec ses responsabilités vis-à-vis de Blue ni avec sa relation avec Andrew, laquelle semblait prendre une direction sérieuse. L'amour les avait pris par surprise.

Ginny supposa qu'Ellen lui avait demandé de venir la voir pour lui parler de sa prochaine mission. Elle se trompait...

— Je vais prendre ma retraite, lui annonça tout de go la directrice du siège new-yorkais de SOS/ HR. J'ai quelques projets en tête et j'ai besoin de voyager à titre personnel. J'ai longtemps sillonné le monde et voilà cinq ans que je suis derrière ce bureau, mais je crois que c'est suffisant. Je voulais que tu sois la première à l'apprendre, parce que j'aimerais citer ton nom pour me succéder. Tu te débrouillerais très bien à ce poste et je ne pense pas qu'au fond de toi tu aies encore envie de te retrouver sur le terrain les trois quarts de l'année...

Ginny n'en croyait pas ses oreilles ! Elle aurait voulu lui sauter au cou. C'était la solution idéale au problème qui la tourmentait depuis des mois. Elle ne voulait pas démissionner, mais elle ne pouvait plus exercer son métier. En revanche, elle pouvait faire celui d'Ellen. D'autant qu'elle connaissait les rouages de SOS/HR sur le bout des doigts.

— Ce serait fantastique, Ellen ! s'exclama-t-elle, avec le sourire de quelqu'un qui vient de gagner au loto.

Cette dernière se leva pour la prendre dans ses bras. Elle partirait le 1er janvier. On n'aurait pu rêver mieux ! Le soir venu, Andrew et Blue partagèrent sa joie. C'en était fini de sa vie de nomade. Deux semaines plus tard, l'organisation confirma son nouveau statut de directrice du siège new-yorkais de SOS/HR. C'était un poste prestigieux, assorti d'un salaire à la hauteur. Au cours d'un déjeuner tranquille, Ellen lui prodigua d'excellents conseils et lui transmit de nombreuses informations.

En sortant du restaurant, Ginny alla choisir le cadeau de Noël qu'elle avait en tête pour Blue. Il s'agissait d'un piano : rien ne lui ferait davantage plaisir... pas même une Ferrari ! Ses professeurs de LaGuardia ne tarissaient pas d'éloges à son égard, car il répétait sans relâche au lycée. Son premier récital était prévu pour le mois de décembre.

Alors qu'elle rentrait chez elle à pied, la neige se mit à tomber. Elle se souvint alors de cette soirée, presque un an plus tôt, où elle était rentrée d'Afrique la veille de l'anniversaire qu'elle redoutait tant, et où un garçon du nom de Blue avait définitivement changé le cours de sa vie. Et avec l'aide d'Andrew, elle l'avait sauvé à son tour. N'était-ce pas miraculeux ?

20

Le quinzième anniversaire de Blue fut le plus mémorable de toute sa vie, car ils célébrèrent en même temps un autre événement, encore plus important. Becky, Alan et leurs enfants s'étaient même déplacés depuis L.A.

Tous se retrouvèrent au tribunal, où le juge aux affaires familiales demanda à Blue Williams s'il souhaitait être adopté par Virginia Anne Carter, ce à quoi il répondit par un « oui ! » clair et solennel. Il posa ensuite la question à Ginny, qui fit la même réponse, en présence de leur avocat, Andrew O'Connor.

On se serait presque cru à un mariage... et d'ailleurs, c'était pour bientôt : Andrew avait demandé sa main à Ginny, et celle-ci avait accepté. Mais en attendant, cette journée était celle de Blue.

Quand le juge les déclara mère et fils, Ginny lui planta un énorme baiser sur le front. Il avait d'abord songé à prendre le même nom qu'elle, mais au fond il aimait bien son patronyme et Ginny n'y

voyait pas d'objection. À l'issue de la brève cérémonie, ils se rendirent au 21 Club pour le déjeuner. Et en fin de journée, ils dînèrent au restaurant
japonais préféré de Blue, avant de se retrouver tous
ensemble à l'appartement de Ginny. Blue joua du
piano et ils chantèrent en chœur sur les morceaux
préférés de Lizzie. Les deux jeunes gens ne ces-
saient de se taquiner : ils étaient devenus cousins !
Alors que Ginny allait chercher quelque chose à la
cuisine, Andrew la suivit et l'embrassa. Enlacés, ils
regardèrent Blue par la porte. Sa première année
à LaGuardia était couronnée de succès et il donnerait un deuxième récital au mois de septembre.
Ginny serait présente pour y assister. Ses années
d'errance étaient derrière elle.

De vieilles histoires avaient trouvé leur conclusion, d'autres ne faisaient que commencer. La
douleur de certains souvenirs s'estompait. Et de
nouveaux liens s'étaient noués. Comme dans le
livre d'Ésaïe, ils étaient les affligés qui avaient reçu
« une onction de joie au lieu du deuil ». Presque
chaque jour, Ginny rappelait à Blue que « rien n'est
impossible ». Ni le garçon ni Andrew n'auraient
pu la contredire.

Vous avez aimé ce livre ?
Vous souhaitez en savoir plus sur Danielle STEEL ?
Devenez, gratuitement et sans engagement, membre du
CLUB DES AMIS DE DANIELLE STEEL
et recevez une photo en couleur dédicacée.

Pour cela il suffit de vous inscrire sur le site
www.danielle-steel.fr
ou de nous renvoyer ce bon accompagné
d'une enveloppe timbrée à vos nom et adresse au
Club des Amis de Danielle Steel
– 12, avenue d'Italie – 75627 PARIS CEDEX 13

Monsieur – Madame – Mademoiselle
NOM :
PRÉNOM :
ADRESSE :

CODE POSTAL :
VILLE :
Pays :

E-mail :
Téléphone :
Date de naissance :
Profession :

La liste de tous les romans de Danielle Steel publiés aux Presses de la Cité se trouve au début de cet ouvrage. Si un ou plusieurs titres vous manquent, commandez-les à votre libraire. Au cas où celui-ci ne pourrait obtenir le ou les livres que vous désirez, si vous résidez en France métropolitaine, écrivez-nous pour le ou les acquérir par l'intermédiaire du Club.

Composition et mise en pages
Nord Compo à Villeneuve-d'Ascq

MARQUIS

Québec, Canada